EL CERDO QUE QUERÍA SER JAMÓN

PAIDÓS CONTEXTOS

Últimos títulos publicados:

JULIAN BAGGINI

EL CERDO QUE QUERÍA SER JAMÓN

y otros noventa y nueve
experimentos para filósofos de salón

PAIDÓS
Barcelona • Buenos Aires • México

Título original: *The Pig That Wants to Be Eaten*
Originalmente publicado en inglés, en 2005, por Granta Publications, Londres

Traducción de Pablo Hermida

Cubierta de Jaime Fernández

© 2005 by Julian Baggini
© 2007 de la traducción, Pablo Hermida
© 2007 de todas las ediciones en castellano
   Ediciones Paidós Ibérica, S.A.,
   Av. Diagonal, 662-664 - 08034 Barcelona
   http://www.paidos.com

√ISBN: 978-84-493-1986-0
Depósito legal: B. 19/2007

Impreso en A & M Gràfic, S.L.
08130 Santa Perpètua de Mogoda (Barcelona)

Impreso en España - Printed in Spain

Sumario

Agradecimientos

Experimento mental número 101: un escritor acepta el apoyo, la ayuda y el consejo que otros le ofrecen con generosidad y no les incluye en los agradecimientos de su libro. ¿Es simplemente descuidado y olvidadizo o moralmente culpable?

Estoy seguro de que soy lo uno o lo otro, pero no me olvidaré de todos. Los editores que conciben su puesto de trabajo como un verbo y no como un mero nombre hacen contribuciones cruciales al resultado final de las obras. George Miller es uno de estos editores y su aportación ha sido indispensable de principio a fin. También he contado con la ayuda de una serie de personas maravillosas de Granta: Sajidah Ahmad, Louise Campbell, Francis Hollingdale, Gail Lynch, Angela Rose, Will Salmon, Bella Shand, Colette Vella y Sarah Wasley. Y Lizzy Kremer sigue guiándome y apoyándome con firmeza y perspicacia.

Para evitar mencionar a unos y omitir a otros, me gustaría dar las gracias en general a todos los que han respondido mis preguntas o facilitado una fuente durante la redacción de este libro. Si dijese que son demasiados para mencionarlos a todos mentiría. Sólo son demasiados para alguien que no tiene el cuidado de registrarlos para recordarlos.

Finalmente, querría dar las gracias a Jeremy Stangroom, oficialmente porque su inteligencia, su perspicacia y su provocativa conversación me inspiran desde hace años, pero sobre todo porque piensa que los agradecimientos y dedicatorias suelen tener mucho de autoexaltación y zalamería, por lo que sin duda se sentirá molesto.

Nota sobre las fuentes

Allí donde existen una o más fuentes identificables para un experimento, las he citado al final. Debería advertirse, sin embargo, que aunque mis versiones son a veces muy similares a las de las fuentes en otras ocasiones son muy diferentes. Los lectores deberían asumir, por tanto, que estas fuentes se limitan a inspirar las situaciones de este libro.

Cuando no se indica ninguna fuente suele ser porque el experimento mental se inspira en un debate más amplio en el que no cabe limitarse a señalar un par de fuentes. Esto no debería considerarse necesariamente una muestra de originalidad por mi parte.

Algunas de estas situaciones pueden tener fuentes que desconozco y que, por tanto, no he indicado. Rectificaría de buen grado tales omisiones en futuras ediciones.

Prefacio

La imaginación sin la razón es mera fantasía, pero la razón sin la imaginación es estéril. A ello se debe en parte que tanto los científicos como los filósofos hayan recurrido siempre a situaciones imaginarias para aguzar sus ideas y llevarlas al límite. El propósito de tales «experimentos mentales» es eliminar cuanto complica las cosas en la vida real para centrarse claramente en la esencia de un problema.

Así, por ejemplo, un dilema ético de la vida real siempre vendrá complicado por factores contingentes y contextuales. Pongamos por caso la cuestión general de si es moralmente malo comer carne. Si nos preguntamos si es malo comer la carne que tenemos oportunidad de consumir, entran en juego múltiples factores. Unos animales procederán de granjas industriales; otros, de crianza humana, y otros, serán salvajes. Unos animales se habrán criado en tierras que antes fueron selvas tropicales, otros habrán pacido libremente en pastos abiertos. Habrá una carne biológica, otra genéticamente modificada, otra transportada por barco desde el otro extremo del mundo. Decidir lo que es bueno y malo éticamente requiere desentrañar todos estos múltiples factores y sopesar debidamente las diferentes consideraciones.

Los experimentos mentales pueden ser de ayuda, ya que, al igual que los experimentos científicos, buscan aislar las variables clave, los factores específicos a examen, para ver cómo influye cada uno de ellos en nuestra comprensión del mundo. Así pues, si queremos valorar las implicaciones éticas de comer animales, podemos imaginar situaciones en las que el asunto concreto considerado es la única diferencia entre dos situaciones. Si nos preocupa el trato a los animales de granja, imaginemos qué diferencia supone en sí mismo el buen trato. Si escrutamos nuestras intenciones, podemos preguntar qué relevancia tiene el hecho de que tu pollo al Kiev muriese en un accidente mientras que al mío le retorcieron el pescuezo intencionadamente, habiendo sido idénticas sus vidas hasta entonces. Podemos convenir que todo lo demás es igual, de suerte que la única cuestión que necesitamos dilucidar es la cuestión moral fundamental.

Los experimentos mentales no sólo aventajan en claridad a la vida real. Lo cierto es que pueden ayudarnos a pensar en cosas que no alcanzaríamos a examinar en ésta. A veces nos exigen que imaginemos lo que resulta poco práctico o incluso imposible, bien para nosotros ahora o bien para cualquiera en cualquier tiempo. Aunque lo que estos experimentos nos piden que consideremos pueda ser descabellado, el propósito es el mismo que el de cualquier experimento mental: concentrarnos en un concepto o problema fundamental. Si un escenario imposible nos ayuda a lograrlo, no debería preocuparnos su imposibilidad. El experimento es una mera herramienta que nos ayuda a pensar, no pretende describir la vida real.

Los cien casos que se exponen en este libro se inspiran por lo general, aunque no siempre, en argumentos filosóficos. A veces parten de supuestos que raramente cuestionamos y les dan la vuelta. A veces sugieren formas de resolver problemas aparentemente insolubles. Y a veces nos hacen ver problemas que no parecen tales hasta que analizamos sus implicaciones.

Éste no es un libro de consulta ni un repertorio de respuestas a viejos enigmas; más bien es una provocación, un acicate para el pensamiento. En los comentarios que suceden a las situaciones que se exponen, puedo sugerir una salida de la dificultad o puedo hacer de abogado del diablo: ustedes lo juzgarán en cada caso.

Análogamente, las remisiones pretenden ser sugerentes, no científicas. A veces las conexiones entre las diferentes situaciones resultarán obvias. En otras ocasiones el propio vínculo es una invitación a ver el problema bajo una nueva luz.

Muchas líneas de pensamiento pueden partir de este libro, pero ninguna acaba en él.

1. El genio maligno

¿Hay algo tan evidente que no pueda ponerse en duda? ¿No es posible que nuestra vida sólo sea un sueño, o que el mundo sea un simple producto de nuestra imaginación? Por descabelladas que resulten estas ideas, el mero hecho de que sean concebibles muestra que cabe dudar de la realidad del mundo físico.

No obstante, existen otras ideas que parecen tan claras y evidentes que deben ser ciertas. Por ejemplo, estemos despiertos o dormidos, 2 y 2 son 4. Un triángulo ha de tener tres lados, contenga o no triángulos el mundo real o imaginario.

Pero ¿y si nos está engañando Dios, o un demonio poderoso y malévolo? ¿No podría hacernos creer semejante espíritu maligno que lo falso es obviamente verdadero? ¿No hemos visto a los hipnotizadores hacer que alguien cuente hasta 10 sin ser consciente de que se ha saltado el número 7? ¿Y qué decir del hombre que, en un sueño, oye cuatro campanadas de la torre del reloj y se descubre pensando: «¡Qué extraño! ¡El reloj ha dado la 1 cuatro veces!»?

Si el genio maligno es una posibilidad, ¿existe algo de lo que no quepa dudar?

Fuente: la primera de las *Meditaciones metafísicas* de René Descartes (1641).

Los filósofos tienen la costumbre de hallar algo que todos creemos saber y, acto seguido, ofrecernos razones para hacernos dudar de que lo sabemos de veras. Las leyes de la naturaleza, el mundo físico, Dios, la bondad, las otras mentes, la justicia, el tiempo: los filósofos han hallado razones para dudar de todo ello.

Para proponer argumentos tan profundamente escépticos, el filósofo necesita emplear lo único de lo que no puede permitirse dudar: su propia capacidad de pensar racionalmente. Así, por ejemplo, cabe poner en duda la realidad del tiempo porque el concepto tradicional de tiempo encierra contradicciones. Estas contradicciones implican una violación de principios lógicos fundamentales, tales como la imposibilidad de ser y no ser al mismo tiempo. La capacidad de reconocer que se trata de contradicciones lógicas es la que le permite al filósofo razonar y justificar su duda.

Pero si estuviésemos bajo el influjo de un poderoso genio embustero, una posibilidad contemplada por vez primera por el filósofo francés del siglo XVII René Descartes, podríamos equivocarnos al considerar verdaderos estos principios lógicos básicos. Pueden parecernos obvios, pero a la persona hipnotizada puede parecerle evidente que después del 6 viene el 8. Al soñador engañado puede parecerle evidente que el reloj ha dado la 1 cuatro veces, cuando todos «sabemos» que, en realidad, ha dado las 4 una vez.

La idea de un genio que nos engaña puede antojarse algo extravagante, pero la misma duda puede sembrarse por otros medios. Puede que estemos locos y que nuestra demencia nos ciegue ante el hecho de que otros no ven el mundo como nosotros. O quizá la evolución ha dotado nuestra mente de un repertorio esencialmente defectuoso de principios lógicos. Tal vez estemos mejor adaptados para sobrevivir si consideramos «obviamente verdaderas» ciertas falsedades. El genio puede estar codificado en nuestro ADN.

La genialidad de este experimento mental estriba en que, para juzgar su plausibilidad, hemos de fiarnos de aquello que supuestamente se está poniendo en duda: nuestra capacidad de razonar bien. Tenemos que juzgar si somos capaces de pensar bien pensando tan bien como podemos. Por tanto, no podemos separarnos de la facultad de pensamiento que supuestamente estamos evaluando para juzgarla desde una perspectiva neutral. Es como tratar de usar una báscula sospechosa para pesarse a sí misma, con el fin de comprobar su precisión.

Quizá sea éste el resultado del experimento mental: nuestra capacidad de razonar debe considerarse esencial para cualquier pensamiento que se precie. Podemos cuestionar la validez de cualquier razonamiento concreto pensando seriamente en él. Pero no podemos poner en tela de juicio la validez de nuestra facultad general de razonar. A lo sumo podemos afirmar que parece sernos suficientemente útil. ¿Basta con ello para reivindicar la racionalidad o queda ésta debilitada?

VÉASE TAMBIÉN

2. Teletranspórtame...

Para Stelios, el teletransportador es el único modo de viajar. Antes llevaba meses llegar desde la Tierra hasta Marte, confinado en una angosta nave espacial con un historial de seguridad que dejaba mucho que desear. Todo cambió con el Teletransporte Exprés de Stelios. Ahora el viaje dura sólo unos minutos y su seguridad hasta la fecha es del cien por cien.

No obstante, ahora se enfrenta a la demanda de un cliente descontento, que alega que, en realidad, la empresa le mató. Su argumento es simple: el teletransportador funciona escaneando célula a célula tu cerebro y tu cuerpo, destruyéndolos, transmitiendo la información a Marte y reconstruyéndote allí. Aunque la persona de Marte parece, siente y piensa como una persona a la que se ha dormido y proyectado a través del espacio, el demandante aduce que lo que sucede en realidad es que te asesinan y te sustituyen por un clon.

A Stelios esto le parece absurdo. Después de todo, ha viajado en el teletransportador docenas de veces y no se siente muerto. ¿Cómo puede creer seriamente el demandante que le han matado durante el proceso, y ser capaz de llevar el caso a los tribunales?

Sin embargo, cuando Stelios volvió a introducirse en la cabina del teletransportador y se disponía a apretar el botón que comenzaría a desmantelarle, se preguntó por un instante si no estaba a punto de suicidarse...

Fuente: capítulo 10 de *Reasons and Persons*, de Derek Parfit (Oxford University Press, 1984) (trad. cast.: *Razones y personas*, Madrid, A. Machado Libros, 2005).

¿De qué depende nuestra supervivencia continuada? En circunstancias normales diríamos que del continuo funcionamiento de nuestro cuerpo. Pero, como no hay parte del cuerpo que no quepa concebir reemplazable por un sustituto artificial, quizás esto no sea necesariamente cierto. ¿No se trata más bien de que seguimos existiendo mientras persiste nuestra conciencia? El día que nadie se despierte pensando que soy yo, con mis recuerdos, planes y personalidad, habré muerto.

La teoría de la «continuidad psicológica» de la identidad personal posee un atractivo intuitivo. Sólo porque parece reflejar nuestras intuiciones fundamentales podemos comprender historias como *La metamorfosis* de Kafka, en la que un hombre despierta en el cuerpo de un escarabajo. Reconocemos al instante que el hombre *es* el escarabajo porque su mente vive en él. La continuidad mental, no la física, le distingue como la misma persona.

Pero, en el caso del teletransporte, aunque sí tenemos una continuidad psicológica tan completa como la que se da en la vida ordinaria, tampoco parece caber duda de que lo creado es una copia, un clon. No obstante, un clon no es el mismo individuo que la persona clonada. Sólo es el mismo en el sentido en que lo son dos estatuas vaciadas del mismo molde: son idénticas en cada detalle pero, con todo, son entidades distintas. Si una se astilla, la otra permanece intacta.

No es que Stelios no sepa cómo funciona su teletransportador. Sencillamente no ve por qué debería importar el hecho de que, estrictamente hablando, la máquina le «clone» cada vez. Lo que le importa es que, por lo que a él respecta, se mete en la cabina y se despierta en otro planeta. El mecanismo físico es irrelevante.

Si esto suena simplista, considere usted por un momento la posibilidad de que una noche, hace unos años, le hubiesen secuestrado mientras dormía, le hubiesen procesado con el teletransportador y hubiesen devuelto a su cama sin que se diera cuenta a la persona resultante. De haber sucedido tal cosa, usted no tendría forma de saberlo, porque su experiencia consciente del curso de su vida como un ser continuo sería exactamente la misma si no hubiera ocurrido. En cierto modo, el hecho del teletransporte deja nuestra vida y el mundo exactamente como eran.

Tal vez la pregunta adecuada no sea si Stelios es un clon o «la misma» persona. Quizá deberíamos preguntar en cambio qué es lo importante en relación con nuestra existencia pasada y futura. Y puede que la respuesta sea la continuidad psicológica, de todo punto necesaria.

VÉASE TAMBIÉN

3. El indio y el hielo

Dhara Gupta vivió toda su vida en un pueblo próximo a Jaisalmer en el desierto de Rajastán. Un día, en 1822, mientras preparaba la cena, sintió un alboroto. Alzó la vista y descubrió que su primo Mahavir había regresado de un viaje que emprendiera hacía dos años. Tenía un aspecto saludable y durante la cena les contó sus aventuras.

Narró historias de ladrones, animales salvajes, grandes montañas y otros lugares y aventuras increíbles. Pero lo que dejó realmente pasmada a Dhara fue que asegurase haber visto algo llamado «hielo».

«Llegué a regiones donde hacía tanto frío que el agua dejaba de correr y formaba un bloque sólido y traslúcido —contó Mahavir—. Lo más asombroso es que no existe ningún estado intermedio en que el líquido se espese. El agua que fluye libremente está sólo un poco más caliente que la que se ha solidificado.»

Dhara no quería llevar la contraria a su primo en público, pero no le creía. Lo que éste describía contradecía toda su experiencia. No creía a los viajeros que le hablaban de dragones que exhalaban fuego. Tampoco creería ese disparate sobre el hielo. Se consideraba, con razón, demasiado inteligente para creerlo.

Fuente: capítulo X, «On Miracles», de *An Essay Concerning Human Understanding*, de David Hume (1748) (trad. cast.: *Investigación sobre el entendimiento humano*, Madrid, Istmo, 2004).

¿Cómo podía tener razón Dhara cuando, en cierto sentido, estaba tan claramente equivocada? Sabemos que la descripción del hielo de Mahavir no era una fantasía equiparable a los cuentos de dragones, sino una descripción precisa de lo que le sucede al agua en el punto de congelación.

Dhara estaba en lo cierto en el sentido de que a veces nos equivocamos razonando correctamente. Pensemos, por ejemplo, en los planes de enriquecimiento rápido. La mayoría de los usuarios del correo electrónico recibirá casi a diario mensajes que prometen enormes riquezas con un «pequeño» desembolso. Como se trata casi sin excepción de fraudes y llevaría demasiado tiempo investigar uno a uno sus credenciales, el único curso racional de acción consiste en hacer caso omiso de todos ellos. No obstante, eso significa que es posible que un día dejemos pasar una oportunidad genuina y nos privemos de una gran fortuna. Ese correo electrónico en particular no sería un fraude, pero, en buena medida, habríamos razonado correctamente al concluir que probablemente lo era.

El mismo planteamiento general es aplicable a Dhara. No deberíamos creer todo lo que nos dicen sobre el funcionamiento del mundo natural. Cuando alguien nos diga que puede levitar, parar relojes con la mente o curar enfermedades con cristales, nuestro escepticismo estará justificado. Nuestra experiencia pasada nos dice que tales cosas no suceden y que, siempre que se ha afirmado que han ocurrido, han faltado las pruebas que las confirmen o se ha descubierto el fraude. No es preciso pensar que quienes defienden tales cosas sean unos estafadores: simplemente puede que estén equivocados o que basen sus afirmaciones en razonamientos defectuosos.

El problema reside, sin embargo, en que a veces sucede realmente algo que nos obliga a reconsiderar lo que creíamos saber. No podemos descartar una idea simplemente porque no encaje con nuestras creencias actuales. Antes bien, necesitamos muy buenas razones para hacerlo, porque lo firme y establecido ha de pesar más que lo defendido por un individuo o un pequeño grupo que lo cuestiona.

He aquí el problema de Dhara. El testimonio de una persona, incluso si se trata de su primo, no es lo bastante fuerte para contradecir sus conocimentos del mundo natural, en el que los líquidos no se transforman en sólidos a una temperatura aparentemente mágica. No obstante, debe aceptar también que, a diferencia de su primo, ella no conoce esas regiones más frías. Por consiguiente, su experiencia es limitada, pero, más allá de ella, sólo cuenta con la palabra de su primo. Al negarse a creerle, ¿estrechó en exceso los límites de su conocimiento? ¿O equivocarse en esta ocasión era el precio que debía pagar por no ser crédula y equivocarse en muchas otras situaciones?

VÉASE TAMBIÉN

40. El caballito ganador
63. A saber
76. A la Red de cabeza
97. Suerte moral

4. Una aventura virtual

Como mucha gente que llevaba varios años casada, Dick estaba aburrido con su relación. La pasión se había esfumado. De hecho, Dick y su mujer apenas se acostaban juntos. No obstante, Dick no tenía la más mínima intención de dejar a su esposa. La quería y era una excelente madre para sus hijos.

Sabía de sobra cuál era la solución habitual a este problema: tener una aventura. Simplemente aceptas que tu mujer satisface algunas de tus necesidades y tu amante otras. Pero lo cierto es que Dick no quería actuar a espaldas de su mujer y también sabía que ella no podría aceptar una relación abierta, aunque él sí pudiese.

Así pues, cuando Dick oyó hablar de Byte on the Side Inc. («¡Mejor aún que la realidad!»), lo consideró seriamente. Lo que la empresa ofrecía era la oportunidad de tener una aventura virtual. No cibersexo con una sola mano con una persona real al otro extremo de la conexión informática, sino un entorno de realidad virtual en el que «te acostabas con» una persona completamente simulada. La sensación sería de sexo real, pero, de hecho, todas tus experiencias serían producidas por ordenadores que estimularían tu cerebro para que te pareciese estar teniendo relaciones sexuales. Todas las emociones de una aventura pero sin terceras personas y, por tanto, sin auténtica infidelidad. ¿Por qué decir que no?

¿Por qué nos preocupa la infidelidad? Hay quien afirma que no debería preocuparnos y que, si lo hace, es sólo porque estamos condicionados culturalmente por expectativas monógamas poco realistas. El sexo y el amor son muy diferentes, y somos tontos si permitimos que se rompa un vínculo afectivo por el impulso biológico de la cópula.

Si el deseo de monogamia es un producto cultural, se halla, no obstante, profundamente arraigado. La experiencia de muchos que practican en comunas el amor libre o prueban el intercambio de pareja es que no pueden evitar sentir celos cuando otros se acuestan con la persona a la que aman. Los «complejos» de los que se nos exhorta alegremente a liberarnos parecen algo más que meras aberraciones psicológicas que hemos de superar.

Así pues, si es probable que la infidelidad siga siendo un problema para la mayoría, ¿qué es lo que nos preocupa de ella? Imaginar cómo nos sentiríamos si nuestra pareja usara los servicios de Byte on the Side puede ayudarnos a responder esta pregunta. Si no tuviéramos nada que objetar al cibersexo, ello sugeriría que el factor crucial es la implicación de otra persona. Nuestra relación más íntima ha de ser uno a uno y en exclusiva. Lo que queremos ver preservado es la monogamia tradicional.

Pero si rechazáramos la aventura virtual, ello parecería indicar que, a la postre, lo decisivo no es el papel de un tercero. Lo que causa dolor no es el hecho de recurrir a un tercero, sino de apartarse de la relación. Desde esta perspectiva, cuando Dick enciende un ordenador para excitarse, está delatando que ha dejado de ver a su mujer como la persona con la que desea expresar su sexualidad.

Una aventura suele ser un síntoma de los problemas existentes en una relación, no su principal causa. Esto encaja con este diagnóstico de la fuente del malestar de Dick con su amante virtual. Pues desde luego es cierto, incluso antes de entrar por vez primera en su estimulante simulación, que ya ha dejado de ver sexualmente a su mujer a la manera de antaño. Por tanto, la aventura virtual no es un medio para abordar el problema principal, sino para eludirlo.

En el mundo real, las razones por las que nos preocupa la infidelidad son complejas, y la persona que se opone a una aventura virtual puede oponerse con más firmeza aún a una aventura de carne y hueso. Lo que nos permite el caso de Dick es centrar nuestra atención en un solo aspecto de la infidelidad: hasta qué punto supone un alejamiento de nuestra relación más preciada.

VÉASE TAMBIÉN

27. Deberes cumplidos
44. Hasta que la muerte nos separe
91. Nadie resulta herido
96. La familia, primero

5. El cerdo que quería ser jamón

Tras cuarenta años de vegetarianismo, Max Berger se disponía a participar de un banquete de salchichas de cerdo, jamón, *bacon* crujiente y pechugas de pollo a la plancha. Max siempre había echado de menos el sabor de la carne, pero sus principios eran más fuertes que sus ansias culinarias. Sin embargo, ahora era capaz de comer carne sin cargo de conciencia.

El jamón, el *bacon* y las salchichas procedían de una cerda llamada Priscilla a la que había conocido la semana anterior. Había sido genéticamente diseñada para poder hablar y, lo que es más importante, para querer que se la comieran. Priscilla había deseado toda su vida acabar en una mesa, y el día de su matanza se despertó toda esperanzada. Le había contado todo esto a Max justo antes de dirigirse presurosa al confortable y humano matadero. Después de escuchar su historia, Max pensaba que sería irrespetuoso *no* comérsela.

El pollo procedía de un ave genéticamente modificada que había sido «descerebrada». En otras palabras, vivía como un vegetal, sin conciencia de sí mismo, del entorno, del dolor o del placer. Por consiguiente, matarlo no era más cruel que arrancar una zanahoria.

Pese a todo, cuando le pusieron delante el plato, Max sintió un amago de náusea. ¿Se trataba de un simple acto reflejo, provocado por una vida de vegetarianismo? ¿O era el indicio físico de una justificable aflicción psíquica? Sobreponiéndose, cogió el cuchillo y el tenedor...

Fuente: The Restaurant at the End of the Universe, de Douglas Adams (Pan Books, 1980) (trad. cast.: *El restaurante del fin del mundo*, Barcelona, Anagrama, 2005).

La preocupación por el bienestar de los animales no es exclusiva del pequeño porcentaje de vegetarianos. Esto no debería sorprendernos pues, si se tratase sólo de matar, los vegetarianos no aplastarían moscas ni exterminarían ratas, lo que muchos, aunque desde luego no todos, hacen de buen grado.

Existen dos motivos principales para mantener que es reprobable criar y matar ciertos animales. En primer lugar, las condiciones en que se tiene a los animales. El problema estriba aquí en el supuesto sufrimiento en vida del animal, más que en el hecho de su muerte. En segundo lugar, el propio acto de matar, que pone fin a la vida de un ser que podría tener un futuro digno.

La primera cuestión puede abordarse simplemente asegurándonos de que el animal goza de buenas condiciones. Mucha gente preocupada por el bienestar de los animales comerá, no obstante, carnes como aves y cordero de corral, que no pueden criarse intensivamente.

Sin embargo, sigue pendiente la segunda razón fundamental para el vegetarianismo: la objeción al acto de matar. Pero ¿qué ocurriría si pudiésemos crear animales no interesados en su supervivencia, simplemente por poseer tan poca conciencia como una zanahoria? ¿Qué habría de malo en privarlos de una existencia de la que jamás fueron conscientes? ¿Y si el animal quisiera realmente que se lo comieran, como el porcino imaginado por Douglas Adams en *El restaurante del fin del mundo*?

Al protagonista de esa novela, Arthur Dent, le horrorizaba la sugerencia, que describía como «lo más repugnante que he oído». Muchos compartirían su repulsión. Pero, como objetaba Zaphod Beeblebrox a Dent, ¿no será con toda seguridad «mejor que comerse un animal que no quiere que se lo coman»? La respuesta de Dent no parece sino un ejemplo de esa aversión espontánea que se siente al enfrentarse a algo que no parece natural, aun cuando no plantee problemas morales. Los trasplantes de órganos y las transfusiones de sangre parecían monstruosos cuando se concibieron por primera vez, pero, cuando nos acostumbramos a ellos, desaparece la idea de que son moralmente reprobables, salvo para algunas sectas religiosas.

Se puede hablar de la dignidad de los animales o del respeto del orden natural, pero ¿cabe sugerir seriamente que la dignidad de la especie de los pollos se ve socavada por la creación de una versión descerebrada? ¿No es completamente digna la muerte de Priscilla? ¿Y no trastoca de todos modos el orden natural la propia agricultura biológica, que selecciona y produce variedades para que crezcan de forma masiva? En resumidas cuentas, ¿existe alguna razón de peso para que los vegetarianos de hoy en día no compartan mesa con Max en cuanto el menú de éste llegue a ser una realidad?

VÉASE TAMBIÉN

6. Rueda de la fortuna

Marge no era matemática, pero sabía que acababa de descubrir un sistema infalible para hacerse rica jugando a la ruleta.

Llevaba varios días observando el giro de la rueda del casino. Durante este tiempo había advertido que era sorprendentemente normal que se diese una secuencia de resultados del mismo color. Pero cinco consecutivas del mismo color era muy inusual y seis seguidas sólo ocurría un par de veces al día.

Éste sería su sistema. La probabilidad de que la bola cayese en una ranura del mismo color seis veces seguidas era muy pequeña. Así pues, observaría y, una vez que cayese en rojo, por ejemplo, cinco veces consecutivas, apostaría la siguiente por el negro. Seguro que ganaría más a menudo de lo que perdería, porque seis consecutivas era muy infrecuente. Estaba tan segura que ya había empezado a pensar en cómo se gastaría el dinero.

El error de Marge supone una advertencia ante los límites de los experimentos mentales. Si su sistema parece infalible es porque ya lo ha probado y siempre funciona. En su cabeza, claro está. Si el jugador puede extraviarse con tanta facilidad al imaginar lo que sucedería en situaciones hipotéticas, otro tanto le ocurre al filósofo.

No obstante, su error es de razonamiento, y no es producto de ningún fallo del mundo real a la hora de coincidir con el del intelecto. El error que comete consiste en confundir la probabilidad de que la bola caiga en la ranura del mismo color seis veces consecutivas con la probabilidad de que caiga en la ranura del mismo color, dado que *ya* lo ha hecho cinco veces seguidas.

Imaginemos, por ejemplo, un simple juego de azar en el que se compite echando una moneda a cara o cruz. En la primera serie hay sesenta y cuatro personas; en la segunda, treinta y dos; en la tercera, dieciséis, y así hasta que sólo quedan dos. Al empezar la competición, las posibilidades de ganar de cada persona son de 64 a 1. Pero, al llegar a la final, cada finalista tiene una probabilidad de ganar del 50%. Sin embargo, según la lógica de Marge, la probabilidades quedan fijadas en la primera serie. Así pues, en la final, aunque sólo quedan dos jugadores, Marge razonaría que cada uno tiene una sola posibilidad de ganar entre 64. Ello significaría, por supuesto, que la probabilidad de ganar de cada persona es sólo 1 de 32.

Por volver a la ruleta, resulta ciertamente muy improbable que la bola caiga en la ranura del mismo color seis veces consecutivas, al igual que es muy improbable (64 a 1) que una persona gane el concurso de la moneda lanzada a cara o cruz. Pero una vez que la bola ha caído cinco veces en la ranura del mismo color la improbabilidad inicial de una secuencia de seis resulta irrelevante: en el siguiente giro de la rueda las posibilidades de que la bola caiga en rojo o en negro son algo menos del 50% (también hay dos ranuras verdes en la rueda).

La clave está en que la improbabilidad de lo que ha ocurrido en el pasado no afecta a la probabilidad de lo que ocurrirá después. Marge debería haberse percatado de esto. Si hubiera observado con qué frecuencia una serie de cinco del mismo color se convertía en una serie de seis, habría advertido que las posibilidades eran, de hecho, algo menos del 50%. Por consiguiente, su error no consistió en un simple razonamiento defectuoso, sino en imaginar que sucedería algo que sus observaciones podrían haber desmentido. Es una mala experimentadora, tanto en su cabeza como en el mundo.

VÉASE TAMBIÉN

3. El indio y el hielo
16. Tortugas de carreras
42. Toma el dinero y corre
94. El impuesto Sorites

7. Cuando nadie gana

El soldado raso Sacks estaba a punto de hacer algo terrible. Le habían ordenado violar y luego matar a la prisionera, que sabía que no era más que una civil inocente de la etnia equivocada. En su mente no albergaba ninguna duda de que se trataría de una horrenda injusticia; de hecho, sería un crimen de guerra.

Pero, reflexionando rápidamente sobre ello, sintió que no tenía otra elección. Si obedecía la orden, podría hacer que aquel calvario fuese lo más soportable posible para la víctima, asegurándose de que no sufriera más de lo imprescindible. Si desobedecía la orden, le ejecutarían, y violarían y matarían de todos modos a la prisionera, pero probablemente con más violencia. Lo mejor para todos era seguir adelante.

Su razonamiento parecía suficientemente claro, pero, desde luego, no le dejaba la conciencia tranquila. ¿Cómo podía ser lo mejor tratándose de algo tan abominable?

«Si yo no lo hago, otro lo hará» resulta, en términos generales, una débil justificación para las malas obras. Uno es responsable de sus malas acciones, con independencia de si otros las habrían cometido de todos modos. Si ves un coche deportivo descapotable con las llaves en el encendido, te montas y te lo llevas, tu acción no deja de ser un robo simplemente porque otro haría lo mismo antes o después.

En el caso de Sack, la justificación es sutilmente diferente en un sentido relevante. Lo que él dice es: «Si no lo hago yo, lo hará otro con consecuencias mucho peores». Sacks no se limita a resignarse a lo malo que se avecina; trata de asegurarse de que ocurra lo mejor posible o lo menos malo.

Normalmente parecería perfectamente moral hacer lo que podamos para evitar todo el daño posible. Lo mejor que puede hacer Sacks es salvar su propia vida y hacer lo menos dolorosa posible la muerte de la prisionera. Pero este razonamiento le lleva a participar en una violación y un asesinato, y es obvio que eso jamás puede ser lo moralmente correcto.

Cuesta resistirse a la tentación de imaginar una tercera posibilidad: limitarse a disparar a la prisionera y a sí mismo. Pero es preciso resistirse, pues en un experimento mental controlamos las variables, y en este caso la pregunta es qué debería hacer si las dos únicas posibilidades son ejecutar la orden o negarse a hacerlo. Si establecemos el dilema en estos términos es justamente para obligarnos a encarar directamente el problema moral, no para pensar el modo de sortearlo.

Algunos sostendrán que hay ocasiones en las que es imposible hacer lo correcto. Resulta reprobable tanto hacer algo como no hacerlo; la inmoralidad es inevitable. En tales circunstancias, deberíamos optar por lo menos malo. Ello nos permite afirmar al mismo tiempo que Sacks hace lo mejor que puede y que obra mal. Pero esta solución se limita a suscitar un problema diferente. Si Sacks hizo lo mejor que podía hacer, ¿cómo culparle o castigarle por lo que hizo? Y, si no merece ser culpado ni castigado, seguramente no hizo nada malo.

Tal vez la respuesta sea entonces que es posible que una acción sea mala pero su autor esté libre de culpa. Lo que *hizo* estaba mal, pero no obró mal al hacerlo. Lógicamente resulta consistente. Ahora bien, ¿refleja la complejidad del mundo o se trata de una contorsión sofística para justificar lo injustificable?

La alternativa pasa por sostener que el fin no justifica los medios. Sacks debería negarse. Morirá y la prisionera sufrirá más, pero se trata de la única opción moral a su alcance. Puede que Sack preserve de este modo su integridad, pero ¿es ése un fin más noble que el de salvar vidas y aliviar el sufrimiento?

VÉASE TAMBIÉN

44. Hasta que la muerte nos separe
55. Desarrollo sostenible
82. La gorrona
91. Nadie resulta herido

8. El Dios bueno

Y el Señor habló al filósofo: «Yo soy el Señor, tu Dios, y soy la fuente de todo lo bueno. ¿Por qué me ignora tu filosofía moral secular?».

Y el filósofo habló al Señor: «Para responder debo hacerte primero algunas preguntas. Tú nos ordenas que hagamos lo que es bueno. Pero ¿es bueno porque tú lo ordenas o lo ordenas porque es bueno?».

«Es bueno porque yo lo ordeno», dijo el Señor.

«¡Respuesta incorrecta, sin duda, poderoso Señor! Si lo bueno sólo es bueno porque tú dices que lo es, entonces podrías, si quisieras, hacer que fuese bueno torturar a los niños. Pero eso sería absurdo, ¿verdad?»

«¡Por supuesto! —replicó el Señor—. Te he puesto a prueba y la has superado. ¿Cuál era la otra opción?»

«Tú eliges lo que es bueno porque *es* bueno. Pero eso muestra claramente que la bondad no depende de ti en absoluto. Por tanto, no necesitamos conocer a Dios para conocer el bien.»

«Aun así —dijo el Señor—, has de admitir que he escrito hermosos manuales sobre el tema...»

Fuente: Eutifrón, de Platón (380 a.C.).

En el colegio solíamos cantar un himno en el que Dios se equiparaba prácticamente a todos los atributos positivos. Cantábamos que Dios es amor, Dios es bueno, Dios es la verdad y Dios es la belleza. No es de extrañar que el coro concluyese «¡Alabado sea!».

No obstante, la idea de que Dios es bueno resulta ambigua. Podría significar que Dios es bueno del mismo modo que la tarta es buena o Juan es bueno. En estos casos, «es» atribuye una cualidad o propiedad a algo, como la bondad o la blancura. Igualmente, sin embargo, «Dios es bueno» podría ser una oración como «El agua es H_2O» o «Platón es el autor de *La república*». En estos casos, «es» indica una identidad entre los dos términos: lo uno es idéntico a lo otro.

En el himno, el «es» parecía indicar identidad, no atribución. Dios no es amoroso sino amor; no bello sino belleza. Dios no sólo tiene estas cualidades positivas sino que él *es* dichas cualidades. Por eso «Dios es bueno» implica que las nociones de Dios y bondad están inextricablemente unidas, que la esencia de lo bueno es Dios.

Si esto es así, no es de extrañar que muchos crean que no puede haber moralidad sin Dios. Si la bondad y la divinidad no pueden separarse, la moralidad secular es una contradicción en sus términos.

Sin embargo, nuestra conversación imaginaria parece demostrar de forma clara y simple que no puede ser así. Si Dios es bueno, es porque Dios es y elige hacer lo que *ya* es bueno. Dios no hace algo bueno al elegirlo; lo elige porque es bueno.

Alguien podría objetar que este argumento funciona sólo porque separa lo que no se puede separar. Si Dios es realmente bueno, no tiene sentido plantear una dilema en el que se distingue entre lo bueno y Dios. Pero, como parece perfectamente sensato preguntar si lo bueno es bueno porque Dios lo ordena o Dios lo ordena porque es bueno, esta objeción incurre simplemente en una petición de principio.

Incluso si Dios y lo bueno fuesen realmente una misma cosa, seguiría siendo razonable preguntar qué hace verdadera esta identidad. La respuesta seguramente sería que sabemos qué es lo bueno y esto es lo que nos facultaría para decir verdaderamente que Dios es bueno. Si Dios preconizara la tortura en vano, sabríamos que no es bueno. Esto demuestra que podemos comprender la naturaleza de la bondad independientemente de Dios. Y eso muestra que una moralidad sin Dios no es un oxímoron.

Véase también

9. Enésimo Gran Hermano

Para la septuagésima tercera edición de *Gran Hermano*, los productores habían introducido un nuevo juguete diabólico: Pierre. El psicólogo asesor del programa explicaba cómo funcionaría.

«Como saben, el cerebro es el motor del pensamiento y la acción, y es enteramente físico. Nuestra comprensión de las leyes de la física es tal que hoy podemos predecir con precisión cómo reaccionará el cerebro de las personas y, por consiguiente, cómo pensarán éstas, en respuesta a acontecimientos de su entorno.

»Al ingresar en la estación espacial del Gran Hermano, un escáner cerebral traza el mapa de los estados cerebrales de todos los participantes. Nuestra supercomputadora Pierre controla los diversos estímulos a los que están expuestos los concursantes y es capaz de predecir su comportamiento futuro.

»Por supuesto, todo esto es tan endiabladamente complejo que existen límites estrictos. Por eso la tecnología funciona mejor en un entorno cerrado y controlado, como la estación espacial del Gran Hermano, y por eso también sólo pueden hacerse predicciones para los instantes siguientes, pues los pequeños errores en las predicciones no tardan en combinarse y agravarse. Pero los telespectadores disfrutarán viendo cómo predice el ordenador las reacciones inmediatas de los concursantes. En cierto sentido, conoceremos sus mentes mejor que ellos mismos.»

Fuente: la tesis determinista del matemático francés Pierre-Simon Laplace (1749-1827).

El científico francés Pierre Laplace sugirió que, si conociéramos tanto las leyes de la física como la ubicación de cada partícula del universo, seríamos capaces de predecir todo lo que sucedería en el futuro. La teoría cuántica ha mostrado que esto es falso, ya que no todos los procesos causales se hallan estrictamente determinados por condiciones previas. Existe más indeterminación en el universo de la que suponía Laplace.

No obstante, los efectos cuánticos sólo ocurren en el nivel más pequeño, y la mayoría de los objetos del mundo sí que se comportan como si estuviesen estrictamente determinados por causas previas, como pensaba Laplace. Por consiguiente, parecería posible adoptar una actitud algo menos ambiciosa que la del observador de Laplace que todo lo ve y hacer predicciones más modestas. En resumidas cuentas, el ordenador del Gran Hermano sigue siendo una posibilidad teórica.

Podría resultar muy perturbador ver el programa con ayuda de las predicciones de Pierre. Veríamos actuar a las personas una y otra vez exactamente según lo predicho por un ordenador que conociese únicamente los estados físicos de sus cerebros y entornos. Los concursantes tomarían las decisiones que el ordenador había calculado que estaban destinados a tomar. En definitiva, no parecerían actores libres que eligen de forma autónoma, sino autómatas.

¿Cómo deberíamos responder ante esta perspectiva? Podríamos negar su posibilidad. Los seres humanos gozan de libre albedrío y eso significa que ningún ordenador podría llegar a hacer lo que imaginamos que haría Pierre. Sin embargo, esta respuesta parece un ejemplo de la simple negativa a aceptar lo que no nos gusta. Necesitamos saber por qué no es posible un Pierre, no basta con decir que no lo es.

La invocación de la indeterminación cuántica no es suficiente. Aun cuando sea cierto que la teoría cuántica introduce más impredecibilidad de la admitida en nuestro experimento mental, todo lo que haría es reemplazar un proceso causal plenamente predecible por otro que contuviera elementos aleatorios impredecibles. Pero nuestras acciones no son más libres si son el resultado de procesos causales fortuitos que si son producto de procesos estrictamente determinados. El libre albedrío parece requerir que escapemos por completo de la cadena física causal. Y parece que no podemos hacer tal cosa.

La segunda respuesta consiste en aceptar la posibilidad de un Pierre, pero aduciendo que el libre albedrío no se ve seriamente amenazado por ello. Una vía posible pasa por desvincular las nociones de predictibilidad y libertad. A menudo podemos predecir, por ejemplo, qué pedirán para comer o beber nuestros amigos, pero no suponemos que, por tanto, su elección no es libre. ¿Por qué deberíamos pensar entonces que la capacidad de predecir *todos* los comportamientos de una persona demostraría que ésta carece de libertad?

Pero ¿de veras quedaría así a salvo el libre albedrío? ¿Qué es la libertad sino la capacidad de hacer lo que elegimos, con independencia de lo sucedido hasta el momento de la elección?

VÉASE TAMBIÉN

10. El velo de ignorancia

A los veinte civiles seleccionados para ir a vivir a la colonia marciana se les encomendó una insólita tarea. En el planeta rojo habría una serie de bienes que incluirían alojamiento, comida, bebida y artículos de lujo. Antes de partir, tenían que decidir con qué criterio distribuirían esos bienes. Pero un problema crucial es que desconocían cuáles serían las tareas más importantes en la colonia. Puede que todo el trabajo fuese manual o tal vez ninguno. Quizá requiriese mucha inteligencia o fuese más apropiado para los menos necesitados de estimulación mental.

La primera sugerencia fue que todo debería repartirse equitativamente: de cada uno según sus capacidades y a cada uno según sus necesidades. Pero entonces alguien planteó una objeción. Si había montones de trabajo y alguien se negaba a hacer su parte, ¿no sería injusto recompensarle con el mismo trozo de tarta? Sin duda tenía que haber un incentivo para contribuir.

Se aceptó la objeción, pero parece que entonces surgían más problemas. La justicia no parecía consistir en dar lo mismo a todo el mundo. Pero ¿en qué consistía entonces?

Fuente: capítulo 3 de *A Theory of Justice*, de John Rawls (Harvard University Press, 1971) (trad. cast.: *Teoría de la justicia*, Madrid, FCE, 1997).

Según el filósofo político John Rawls, aunque los colonos aún no saben qué es la justicia, se hallan en la posición ideal para averiguarlo. En efecto, toman sus decisiones sobre la forma correcta de distribuir los bienes tras un «velo de ignorancia», que les deja a ciegas a la hora de afrontar la vida en la colonia. Esto significa que podemos confiar en que sus decisiones serán totalmente imparciales. Por ejemplo, como nadie sabe si en Marte será más valioso el trabajo intelectual o el físico, los colonos no deberían apostar por un sistema en el que algún tipo de trabajo está mejor remunerado. Eso les llevaría a tratar por igual a los que poseen habilidades diferentes, lo cual se antoja muy justo, en efecto.

Rawls pensaba que si queremos saber qué es la justicia en la Tierra, deberíamos imaginarnos en una posición similar. La diferencia clave estriba en que deberíamos imaginar asimismo que no sabemos si seremos inteligentes o estúpidos, hábiles o torpes, sanos o enfermizos. De ese modo seremos capaces de proponer reglas para determinar la distribución de bienes que sean completamente justas y no discriminen a nadie.

Rawls creía que si emprendiéramos este proceso racionalmente, desembocaríamos en un sistema en el que siempre nos aseguraríamos de que los peor parados estuviesen lo mejor posible. Esto se debe a que no sabríamos si nosotros mismos estaríamos en el vertedero de la sociedad. Por consiguiente, nos aseguraríamos prudentemente de que si estuviésemos entre los desafortunados, seguiríamos teniendo todo lo posible. Todo esto conduce a una forma tradicional de socialdemocracia liberal, en la que se permiten ciertas variaciones en la fortuna, siempre que no sea a costa de los menos afortunados.

Ahora bien, ¿de veras es justo o racional este sistema? ¿Cómo respondemos a quien alegue que no hay nada injusto en permitir que se hundan los menos capaces? ¿Y qué hay de la tesis de que es perfectamente racional apostar por ser uno de los ganadores en la vida, en lugar de jugar sobre seguro y votar a favor de una sociedad que protege en lo posible a los perdedores? ¿Dejamos de ser imparciales si adoptamos como principio rector lo que nos ocurriría a nosotros en esta sociedad, en lugar de limitarnos a considerar lo que es justo y equitativo?

Los seguidores de Rawls creen que el velo de ignorancia es el mejor recurso del que disponemos para decidir cómo sería una sociedad justa. Los críticos lo niegan: cuando nos situamos tras el velo, nos limitamos a adoptar nuestras ideas y prejuicios políticos preexistentes y a tomar nuestras decisiones en consecuencia. Por tanto, puede considerarse el más útil o el más inútil de los experimentos mentales en la historia de la filosofía política.

VÉASE TAMBIÉN

11. El barco *Teseo*

Con esto no contaba Ray North. Como maestro del crimen internacional, se enorgullecía de ser capaz de rematar sus faenas. Su último cliente le había pedido que robase el famoso yate *Teseo*, el barco desde el que se arrojara a la muerte Lucas Grub, el magnate de la prensa británico, y que más recientemente había sido escena del asesinato del rapero de Los Ángeles Daddy Iced Tea.

Pero ahí estaba él, en el dique seco donde acababan de reparar la embarcación, frente a dos yates aparentemente idénticos. North se volvió hacia el vigilante, al que apuntaba con su pistola uno de su panda.

«Si quieres seguir vivo, más te vale decirme cuál de éstos es el auténtico *Teseo*», exigió Ray.

«Eso depende —fue la nerviosa respuesta—. Verá usted, cuando empezamos a reparar el barco, necesitábamos reemplazar muchas de sus piezas y conservamos todas las piezas viejas. Pero, conforme avanzaba el trabajo, acabamos sustituyendo prácticamente todo. Cuando habíamos terminado, a alguno de los chicos se le ocurrió que sería bueno usar todas las piezas viejas para reconstruir otra versión del barco. Y eso es lo que hemos hecho. A la izquierda, el *Teseo* reparado con las nuevas piezas y, a la derecha, el *Teseo* restaurado con las viejas.»

«Pero ¿cuál es el *Teseo* genuino?», le instó Ray.

«¡Le he dicho todo lo que sé!», gritó el vigilante, mientras el hombre de Ray apretaba la empuñadura de su pistola. Ray se rascó la cabeza y empezó a pensar cómo llevarse los dos...

Fuente: Leviathan, de Thomas Hobbes (1651) (trad. cast.: *Leviatán*, Madrid, Alianza, 2004).

La filosofía se ocupa de las preguntas que siguen sin respuesta una vez recopilados todos los datos. En este caso, Ray conoce todos los datos relevantes sobre los dos barcos. No obstante, la respuesta a su pregunta sigue siendo un misterio.

Para algunos, resulta intuitivamente evidente cuál es el *Teseo* genuino. Pero la respuesta que den dependerá de cómo se cuente la historia. Si Ray fuese un detective en busca de pruebas forenses sobre las muertes de Lucas Grub y Daddy Iced Tea, parecería muy evidente que consideraría auténtico el *Teseo* reconstruido. Podría llegar a la misma conclusión si fuera un coleccionista de objetos con significación histórica.

No obstante, si se tratase de una disputa por la propiedad, se tomaría por original el *Teseo* reparado. Ése es el barco que está autorizado a pilotar el propietario. Y, si hubiéramos instalado una cámara con temporizador en el dique seco y hubiéramos seguido el progreso de las obras, habríamos presenciado la ejecución gradual con la versión reparada como su producto final, mientras que sólo más tarde habría empezado a surgir junto a él el barco restaurado. La nave reparada goza, pues, de una continuidad de existencia de la que carece la restaurada.

Cabe pensar entonces que la pregunta por el *Teseo* «genuino» no tiene una única respuesta. Depende de qué interés se tenga en el barco. Pero esta respuesta puede acarrear inquietantes consecuencias. En efecto, ¿no ocurre con las personas lo mismo que con el *Teseo*? A lo largo de la vida, las células de nuestro cuerpo mueren y son reemplazadas continuamente. Nuestros pensamientos también cambian, de suerte que poco de lo que teníamos en la mente a los 10 años pervive a los 20, y estos pensamientos, recuerdos, convicciones y disposiciones son sustituidos a su vez conforme envejecemos. ¿Diremos entonces que no existe la respuesta correcta a la pregunta de si somos la misma persona que éramos hace muchos años y que eso depende de cuál sea nuestro interés por nosotros mismos? Si la identidad del *Teseo* no es una cuestión fáctica, ¿tendrán cabida los hechos en lo que atañe a la identidad de todo lo que cambia gradualmente con el tiempo, incluidos los seres humanos?

Véase también

12. Picasso en la playa

Roy miró desde el acantilado al hombre que dibujaba en la arena. La imagen que empezaba a emerger le sobresaltó. Era un rostro extraordinario, no ejecutado de forma realista sino aparentemente visto desde múltiples ángulos a la vez. De hecho, parecía un Picasso.

En cuanto la idea penetró en su mente, su corazón se detuvo. Se llevó los prismáticos a los ojos, que no pudo por menos de restregarse. El hombre de la playa *era* Picasso.

El pulso de Roy se aceleró. Hacía ese camino a diario, y sabía que muy pronto subiría la marea y borraría un Picasso original. Tenía que intentar salvarlo. Pero ¿cómo?

Era inútil tratar de contener el mar. Tampoco había forma de hacer un molde de la arena, aunque hubiera dispuesto del tiempo que de hecho no tenía. Tal vez podía volver corriendo a casa para coger su cámara. Pero así preservaría a lo sumo una reproducción de la obra, no el propio dibujo. Y si lo intentaba, cuando volviera es probable que el océano hubiese borrado la imagen. Quizá debería limitarse a disfrutar en privado de esa vista mientras durase. Mientras observaba, no sabía si reír o llorar.

Fuente: «In a Season of Calm Weather», de Ray Bradbury, reimpreso en *A Medicine for Melancholy* (Avon Books, 1981) (trad. cast.: *Remedio para melancólicos*, Barcelona, Minotauro, 2003).

No existe ningún principio general que establezca que hay algo trágico en el hecho de que una obra de arte no perdure en el tiempo. Depende enteramente de la forma que adopte el arte. Es absurdo pensar que una representación teatral debería gozar de una existencia permanente a la manera de una escultura. Por supuesto, podemos filmar una representación o preservar el texto. Pero ninguno de estos métodos congela la propia obra en el tiempo, como sabe cualquiera que haya asistido a una representación o a un concierto memorable y luego lo haya visto grabado.

En el caso de la escultura y la pintura, la preservación se concibe como el ideal. Pero ¿cómo es de tajante la distinción entre la representación teatral y las artes plásticas? El boceto imaginario de Picasso en la arena desdibuja en efecto los límites. La insólita elección del soporte significa que lo que habitualmente perdura se transforma en una efímera representación.

Reconocer que no existe una distinción tajante entre la representación y las artes plásticas puede incitarnos a reconsiderar nuestras actitudes hacia la preservación y la restauración. En general, asumimos que es deseable mantener o restaurar los cuadros de manera que se asemejen lo más posible a su estado original. Pero tal vez deberíamos concebir el lento deterioro de las obras de arte como una parte esencial de su carácter de representaciones.

Lo cierto es que muchos artistas tienen en cuenta el envejecimiento de sus obras a la hora de crearlas. Frank Gehry, por ejemplo, sabía cómo afectaría la exposición a los elementos al exterior de titanio de su obra maestra arquitectónica, el museo Guggenheim de Bilbao. Análogamente, los viejos maestros no ignoraban cómo envejecerían sus pigmentos.

Acaso podríamos ir más allá y afirmar que nuestro deseo de preservar es una forma de negar nuestra propia mortalidad. El hecho de que el arte pueda perdurar más tiempo que las personas ha llevado a algunos a buscar en él un sucedáneo de la inmortalidad. (Pese a la célebre observación de Woody Allen de que él no deseaba la inmortalidad por el arte, sino por no morir.) Si aceptamos que el arte es también mortal, y que nada es verdaderamente permanente, quizá podamos ver con más claridad dónde reside el valor del arte y de la vida: en experimentarlos.

VÉASE TAMBIÉN

13. Todo blanco, negro y rojo

Mary sabe todo lo que hay que saber sobre el color rojo. Como científica, ha sido la obra de su vida. Si quieres saber por qué no podemos ver los infrarrojos, por qué son rojos los tomates o por qué el rojo es el color de la pasión, Mary es la persona indicada.

Nada extraordinario habría en ello, de no ser porque Mary padece acromatopsia: carece por completo de visión de los colores. Para Mary, el mundo es como una película en blanco y negro.

Pero todo esto va a cambiar. Los conos de su retina no son defectuosos, simplemente ocurre que el cerebro no procesa las señales. Los actuales avances en neurocirujía significan que esto puede corregirse. Mary verá pronto el mundo en color por primera vez.

Así pues, pese a su vasto conocimiento, quizá no lo sabe todo sobre el color rojo. Le falta averiguar una cosa: cómo es el rojo.

Fuente: «What Mary Didn't Know», de Frank Jackson, reeditado en *The Nature of Mind*, compilado por David Rosenthal (Oxford University Press, 1991).

La mayoría de las personas cultas ya no se toman muy en serio la tesis de que la mente y el cuerpo son dos clases diferentes de sustancias, que coexisten de algún modo una al lado de otra. La idea de que poseemos un alma inmaterial que habita en nuestro cuerpo animal (un fantasma en la máquina) resulta anticuada, inverosímil y anticientífica.

Sin embargo, el simple rechazo de una visión del mundo no garantiza que dispongamos de otra verdadera. Si nos deshacemos del dualismo mente-cuerpo, ¿por qué lo sustituimos? El candidato evidente es el fisicalismo: hay una sola clase de sustancia, la sustancia física, y todo, incluida la mente humana, está hecho de ella. Por supuesto, puede que esta «sustancia» resulte ser energía en lugar de pequeñas bolas de billar subatómicas, pero de lo que estén hechas las sillas estará hecho todo lo demás.

Y puede que así sea, pero el fervor fisicalista puede llegar demasiado lejos. Incluso si existe una sola clase de «sustancia», ello no implica necesariamente que la palabra pueda entenderse en términos totalmente físicos.

Esto es lo que ilustra la historia de Mary. Como científica, Mary lo sabe todo sobre el rojo en términos *físicos*. Pero hay algo que desconoce: su aspecto. Ninguna descripción científica del mundo puede brindarle este conocimiento. La ciencia es objetiva, experimental, cuantitativa; la experiencia sensorial (de hecho toda experiencia mental) es subjetiva, experiencial y cualitativa. Lo que esto parece mostrar es que ninguna descripción física del mundo, por completa que sea, puede captar lo que sucede en nuestra mente. Como dicen los filósofos, lo mental es irreductible a lo físico.

Esto plantea un desafío a los fisicalistas. ¿Cómo puede ser cierto que en el mundo no hay nada más que sustancia física y, al mismo tiempo, que existen sucesos mentales que no pueden explicarse en términos físicos? ¿Se trata de salir de la sartén dualista para caer en el fuego fisicalista?

Imaginemos qué diría la propia Mary si fuese fisicalista. Quizás empezaría señalando la diferencia entre las apariencias y la realidad: las cosas son de un modo y parecen de otro. A la ciencia le interesa lo primero, no lo segundo, porque el conocimiento siempre se refiere a lo que son las cosas, no a lo que parecen. Mary lo sabe todo sobre lo que es el rojo, simplemente no «sabe» cómo se les aparece a la mayoría de las personas. Lo que por supuesto sabe es cómo se le aparece a ella: como un matiz particular de gris.

Por tanto, cuando Mary vea el color por vez primera, el mundo se le *aparecerá* de un nuevo modo. Pero ¿es correcto afirmar que sabrá todo lo nuevo sobre él? Puede parecer natural decir que ahora «sabe» cómo es el rojo. Pero a veces nuestra forma ordinaria de expresarnos puede cegarnos ante las sutiles distinciones que el filósofo debería cuidarse de establecer.

VÉASE TAMBIÉN

14. Error de la banca a su favor

Cuando Richard fue al cajero automático, tuvo una sorpresa muy agradable. Solicitó 100 libras con recibo. Lo que obtuvo fueron 10.000 libras con un recibo por valor de 100 libras.

Al llegar a casa, comprobó su cuenta en Internet y se encontró con que, en efecto, sólo le habían cargado en su cuenta 100 libras. Puso el dinero a buen recaudo, convencido de que el banco advertiría enseguida el error y le solicitaría la devolución. Pero pasaron las semanas y nadie llamó.

Transcurridos dos meses, Richard concluyó que nadie iba a reclamarle el dinero, así que se dirigió al concesionario de BMW con la cuantiosa suma para la entrada en el bolsillo. No obstante, por el camino tenía un sentimiento de culpa. ¿No estaría robando? Se las arregló para convencerse rápidamente de que no era así. No había cogido el dinero de forma deliberada, sino que se lo habían dado. Y no se lo había cogido a nadie, luego no se trataba de un robo. En cuanto al banco, para ellos era una gota en el océano y, en cualquier caso, estarían asegurados contra tales eventualidades. Y si habían perdido el dinero era culpa suya, por no haber contado con sistemas más seguros. No, aquello no era un robo. Era sólo el mayor golpe de suerte que jamás había tenido.

No conozco a nadie que, al coger en el Monopoly la tarjeta de «error de la banca a su favor, cóbrese 200 libras», devuelva el dinero a la banca porque no es realmente suyo. En la vida real, sin embargo, cabría esperar que una persona honesta hiciera justamente eso. Pero ¿cuánta gente lo haría? Creo que no mucha.

No es que la gente sea lisa y llanamente inmoral. De hecho, en tales casos establecemos distinciones bastante sutiles. Por ejemplo, si recibimos por error un cambio excesivo en un negocio pequeño e independiente, es más probable que advirtamos del error que si éste lo comete una gran corporación. Parece regir el principio de que está mal aprovecharse de los errores del prójimo, pero es legítimo en el caso de las grandes empresas. Probablemente esto se deba en parte a que sentimos que a nadie le perjudica en realidad el error de una gran empresa, para la que la pérdida resulta insignificante en comparación con nuestro beneficio. Curiosamente, nuestra disposición a quedarnos con el dinero se ve avivada en parte por un peculiar sentido de la justicia.

Pero, aunque concluyamos que se trata de una forma de robo justificable, no deja de ser un robo. El hecho de que sea fruto de un accidente, sin intención de robar, es irrelevante. Por ejemplo, imaginemos que cogemos por error la maleta de otro en la cinta de equipajes y luego descubrimos que contiene muchos más artículos valiosos que la nuestra. Si no nos esforzamos en devolverla, la naturaleza accidental de la adquisición inicial no justifica la posterior decisión, muy deliberada, de no hacer nada al respecto. Análogamente, nos molestaría con razón que, en un descuido nuestro, alguien nos cogiera algo valioso, alegando que era culpa nuestra por no prestar la suficiente atención.

La reflexión de Richard de que el banco bien podía permitirse esa pérdida tampoco sirve, pues si eso justifica sus acciones entonces también justifica el hurto en las tiendas. Las tiendas también están aseguradas y un pequeño hurto apenas hará mella en sus beneficios.

La razón por la que a Richard le convencieron tan fácilmente sus propios argumentos estriba en que, como a todos nos sucede, su pensamiento propende al beneficio propio. Las razones que justifican nuestro beneficio se nos antojan más persuasivas. Es muy difícil neutralizar esta tendencia y pensar con imparcialidad. Después de todo, ¿por qué querríamos hacer tal cosa?

VÉASE TAMBIÉN

15. Heroísmo ordinario

La familia del soldado raso Kenny se sorprendió mucho de que no le concediesen la Cruz de la Victoria por su valor. Después de todo, había muerto conteniendo una granada que habría matado al menos a una docena de sus compañeros. ¿Acaso no había sido un «acto de valor o lealtad en presencia del enemigo»?

Exigieron una explicación de su regimiento. El comunicado emitido por el ejército rezaba: «En el pasado, la práctica ha sido recompensar tales acciones con la medalla apropiada. No obstante, hemos decidido que es un error considerar que estos actos requieren una excepcional devoción por el deber. A todo militar se le exige que actúe en todo momento en interés de toda la unidad. Por consiguiente, sugerir que el acto del soldado Kenny fue más allá de la llamada del deber equivale a sugerir que a veces resultaría aceptable no obrar en interés de toda la unidad. Esto es a todas luces absurdo. Por tanto, ya no recompensamos tales actos con condecoraciones póstumas.

»Aunque somos conscientes de que se trata de un momento doloroso para la familia, debemos señalar asimismo que el soldado Kenny habría muerto de todos modos en la explosión, por lo que ni siquiera cabe decir que sacrificara su vida por sus compañeros».

Era difícil criticar la fría lógica del comunicado, pero en su familia estaban convencidos de corazón de que Kenny había actuado de manera heroica. Pero ¿cómo justificar su apelación?

La historia del soldado Kenny parece ilustrar lo que los filósofos denominan conducta supererogatoria. Ésta se da cuando alguien hace algo bueno que va más allá de lo que la moral exige. Así, por ejemplo, la moralidad nos obliga a sacar a un niño de un estanque cuando no es difícil hacerlo, pero lanzarse al mar en plena tempestad, arriesgando la vida para salvar a alguien, es más de lo que exige la moral. Por decirlo de otra forma, nos elogiarán por realizar un acto supererogatorio, pero no nos culparán por no llevarlo a cabo.

Parece evidente que existe una diferencia entre lo que estamos obligados a hacer y los actos supererogatorios. Por consiguiente, el olvido de esta diferencia se considerará problemático en cualquier teoría moral. Tal parece ser el caso del utilitarismo, que sostiene que la acción moralmente correcta es aquella que beneficia al mayor número. Si esto fuese cierto, entonces no obraríamos bien cuando dejamos de favorecer el interés del mayor número de gente, aun cuando hacerlo exija un gran sacrificio personal. Por ejemplo, cabría aducir que llevar incluso un estilo de vida occidental bastante modesto mientras que miles de personas mueren en la pobreza cada hora es dejar de hacer lo que exige la moralidad, pues podríamos estar salvando vidas y elegimos no hacerlo. Lo que es más, ayudar a los pobres no tiene siquiera por qué suponer un gran sacrificio en términos relativos, ya que bastaría con renunciar a ciertas comodidades que, en el orden de las cosas, resultan superfluas.

No obstante, cuando alguien sí dedica su vida a ayudar a los pobres, tendemos a pensar que ha llegado más allá de la llamada del deber, y no que se ha limitado a hacer lo que exige la moralidad. Por supuesto, cabe considerar que si esta forma de pensar nos resulta atractiva es porque nos saca de un apuro. Después de todo, si la moralidad exigiera que hiciéramos lo mismo, seríamos un fracaso en términos morales. Análogamente, cualquier soldado que no actuara como lo hizo Kenny habría obrado inmoralmente. Kenny se limitó a hacer lo que cualquier persona decente debería hacer en esas circunstancias: ni más ni menos.

Quizá sea un mero ejercicio intelectual el preocuparse de si los actos que normalmente se consideran heroicos son supererogatorios o simples exigencias morales. Lo cierto es que, tal como somos los seres humanos, todos sabemos que ciertos actos requieren esfuerzos extraordinarios. Esta realidad no cambia tanto si esas personas hacen más de lo que exige la moral como si la mayoría de nosotros somos un fracaso en términos morales.

VÉASE TAMBIÉN

16. Tortugas de carreras

Bienvenidos a la Gran Final Ateniense Hombre-Tortuga. Mi nombre es Zenón y seré el comentarista de esta gran carrera. He de decir, sin embargo, que el resultado está cantado. Aquiles ha cometido el terrible error de dar a la tortuga Tarquino una ventaja de cien metros. Déjenme que se lo explique.

La táctica de Tarquino consiste en avanzar constantemente, por despacio que sea. Para adelantar a Tarquino, Aquiles debe llegar primero a donde está Tarquino al comienzo de la carrera. Eso le llevará varios segundos. En ese tiempo, Tarquino se habrá movido un poco, por lo que estará algo por delante de Aquiles. Para adelantar a Tarquino, Aquiles debe alcanzar otra vez el punto que éste ocupa. Pero en el tiempo que le lleva a Aquiles hacerlo, Tarquino habrá vuelto a avanzar un poco. Así pues, Aquiles vuelve a necesitar llegar a donde está ahora Tarquino si quiere adelantarle, pero, en ese tiempo, Tarquino habrá vuelto a avanzar. Y así sucesivamente. Ya lo han entendido. En términos lógicos y matemáticos, es imposible que Aquiles adelante al animal.

Pero ya es demasiado tarde para apostar por la tortuga, porque el juez va a dar la salida y... ¡allá van! Aquiles se acerca... se acerca... se acerca... ¡Aquiles ha adelantado a la tortuga! ¡No puedo creerlo! ¡Es imposible!

Fuente: la vieja paradoja de Aquiles y la tortuga, atribuida a Zenón (nacido h. 488 a.C.).

La explicación de Zenón de por qué Aquiles no puede adelantar a la tortuga es una paradoja, porque lleva a la conclusión de que dos cosas incompatibles son ciertas. El argumento parece demostrar que Aquiles no puede adelantar a la tortuga, pero la experiencia nos dice que, por supuesto, puede hacerlo. Pero no parece haber ningún error ni en el argumento ni en lo que nos dice la experiencia.

Algunos han creído detectar un fallo en el argumento. Sólo funciona si asumimos que el tiempo y el espacio son todos continuos que pueden dividirse en partes cada vez menores *ad infinitum*. Esto se debe a que el argumento depende de la idea de que siempre hay un espacio, por pequeño que sea, sobre el que la tortuga habrá avanzado una cierta distancia, por corta que sea, en el lapso de tiempo, por breve que sea, que tarde Aquiles en llegar a donde estaba la tortuga. Quizá se trata simplemente de un supuesto erróneo. Al final se alcanza un punto en el tiempo y el espacio que ya no es susceptible de división.

Con todo, esto mismo plantea diferentes paradojas. El problema de esta idea es que sostiene que la unidad espacial mínima carece esencialmente de extensión (longitud, altura o anchura) pues, de lo contrario, sería posible seguir dividiéndola y volveríamos a los problemas de la paradójica carrera. Ahora bien, ¿cómo puede el espacio, que claramente es extenso, estar constituido por unidades carentes de extensión? Otro tanto sucede con el tiempo. Si la mínima unidad temporal carece de duración y es, por tanto, indivisible, ¿cómo puede tener duración el tiempo en su conjunto?

Así pues, nos enfrentamos a una paradoja de paradojas: dos paradojas aparentemente genuinas, pero que, si ambas fuesen verdaderas, volverían imposibles las dos únicas posibilidades. ¿Confusos? No se preocupen, deberían estarlo.

No hay salida fácil. Las soluciones requieren de hecho unas matemáticas muy complejas. Y tal vez sea ésta la auténtica lección de la carrera de la tortuga: las teorías de sillón basadas en la lógica elemental son una guía poco fiable para la naturaleza fundamental del universo. Pero se trata de una lección inquietante, pues confiamos continuamente en la lógica elemental para detectar contradicciones y fallos en la argumentación. La culpa no es de la propia lógica: las soluciones más complejas a paradojas como éstas pasan por aferrarse firmemente a las leyes de la lógica. La dificultad estriba más bien en su aplicación.

VÉASE TAMBIÉN

17. La opción de la tortura

Los presos de Hadi parecían resueltos, pero estaba seguro de que podría quebrar su firmeza si proseguía con sus amenazas. El padre, Brad, era el auténtico canalla. Él era el que había colocado la bomba que, aseguraba, mataría a cientos, tal vez miles de civiles inocentes. Sólo él sabía dónde estaba la bomba y no lo decía.

Su hijo Wesley no tenía nada que ver con eso. Pero la inteligencia de Hadi le decía que, aunque Brad no cedería a la tortura, casi seguro que lo haría si viese cómo torturaban a su hijo. No inmediatamente, pero más pronto que tarde.

Hadi estaba en un dilema. Siempre se había opuesto a la tortura y probablemente tendría que salir de la habitación cuando ésta se aplicase. La inocencia de Wesley no era el único motivo de sus escrúpulos, pero ciertamente los exacerbaba. Pero también sabía que era la única manera de salvar de la muerte y la mutilación a cientos de personas. Si no ordenaba la tortura, ¿estaría condenando a morir a gente sólo por sus remilgos y su falta de coraje moral?

Durante muchos años, este tipo de situaciones se consideraban puramente hipotéticas. Las sociedades civilizadas no permitían la tortura. Todo esto cambió con la «guerra contra el terror», y en particular con el escándalo en torno al trato a los prisioneros en la cárcel iraquí de Abu Ghraib. La discusión no se refería sólo a si habían tenido lugar los malos tratos y, en tal caso, quién los había autorizado; se discutía también si estaba necesariamente mal hecho.

El dilema de Hadi es una versión simplificada de una situación en la que pueden verse personas moralmente responsables. Los defensores de la tortura en semejantes circunstancias alegarían que, por terrible que pueda ser, no tienes muchas más opciones que seguir adelante. Por ejemplo, ¿cómo arriesgarnos a tener otro 11-S por negarnos a torturar a una o varias personas? ¿No incurriríamos en una suerte de autoindulgencia moral? Nos mantenemos puros al no hacer el trabajo sucio necesario, pero a costa de vidas inocentes. Y si entendemos las razones de Hadi para ordenar la tortura de Wesley (que, después de todo, es inocente), los motivos para torturar a los culpables son aún más fuertes.

El argumento supone un auténtico desafío para los defensores de los derechos humanos, que han tendido a ver toda tortura como indefendible. Para mantener su posición, pueden adoptar una de estas dos estrategias. La primera es la insistencia en que la tortura es mala por principio. Aun cuando salvase miles de vidas, hay fronteras morales que no se pueden cruzar. Esta posición puede ser defendible, pero cuesta sacudirse la acusación de indiferencia ante las vidas de quienes se deja morir en consecuencia.

La otra estrategia consiste en argumentar que, aunque en teoría la tortura puede resultar moralmente aceptable en casos excepcionales, hemos de prohibirla de manera absoluta con el fin de preservar la frontera moral. Si admitimos a veces la tortura en la práctica, será difícil ponerle coto. Es preferible no llegar a torturar cuando es la mejor solución a torturar alguna vez cuando está mal hacerlo.

Sin embargo, puede que este argumento no le sirva de ayuda a Hadi. En efecto, aunque existan buenas razones para adoptar una regla que prohiba la tortura, Hadi se enfrenta a una situación concreta en la que los beneficios de la tortura resultan evidentes. El dilema que encara no es si debería permitirse la tortura, sino si debería romper las reglas en esta ocasión y hacer lo que no está permitido, con el fin de salvar vidas inocentes. Cabría pensar que no debería hacerlo, pero está claro que no es una elección fácil.

VÉASE TAMBIÉN

18. Exigencias racionales

Sofía Maximus siempre se ha sentido orgullosa de su racionalidad. Jamás actuaría conscientemente contra los dictados de la razón. Por supuesto, entiende que algunos de los motivos básicos de la acción (como el amor, el gusto o el carácter) no son racionales. Pero no ser racional no es lo mismo que ser irracional. Preferir las fresas a las frambuesas no es ni racional ni irracional. Pero, dada esa preferencia, es irracional comprar frambuesas si las fresas están al mismo precio.

Sin embargo, ahora mismo está en un aprieto. Un amigo muy inteligente la ha convencido de que sería perfectamente racional hacer explotar una bomba que matará a mucha gente inocente sin ningún beneficio evidente, como salvar otras vidas. Está segura de que tiene que haber algún error en el argumento de su amigo, pero no puede detectarlo racionalmente. Lo que es peor, el argumento sugiere que debería hacer explotar la bomba lo antes posible, por lo que no existe la opción de pensarlo más tiempo.

En el pasado siempre le pareció un error rechazar buenos argumentos racionales en favor de corazonadas o intuiciones. Pero, si obedece a la razón en este caso, no puede evitar sentir que cometerá una atrocidad. ¿Debería seguir a sabiendas la senda menos racional, o anteponer la razón al sentimiento y detonar la bomba?

La falta de detalles de este experimento mental puede poner en cuestión su validez. No se nos da a conocer ese diabólico argumento racional que concluye que sería bueno matar a gente inocente. Pero el auténtico problema no es esta vaguedad. Sabemos por experiencia que se ha convencido a la gente con argumentos racionales para hacer cosas terribles. En la Rusia de Stalin y en la China de Mao, por ejemplo, se persuadía a la gente de que lo mejor era denunciar a los amigos inocentes. Los que se opusieron al empleo de la bomba atómica en Hiroshima y

Nagasaki aceptarán también que quienes tomaron la decisión lo hicieron, en su mayor parte, basándose en razones que consideraban impepinables.

Pero, se objetará, ¿no se trataba en todos estos casos de argumentos incorrectos? Si pudiéramos examinar el argumento que desconcertaba a Sofía, podríamos demostrar sin duda que encierra algún error. No obstante, esto implica asumir que ha de haber algún fallo en el razonamiento. Si creemos que la razón siempre exige lo correcto, podría ocurrir que, en contra de lo que parece, el hacer estallar la bomba fuese bueno, no que el argumento fuese incorrecto. Presuponer que el argumento es incorrecto implica ya elevar una convicción intuitiva por encima de los dictados de la razón.

En cualquier caso, el optimismo en virtud del cual lo racional siempre se alinea con lo bueno es injustificado. Se dice que el problema de los psicópatas no es que carezcan de razón, sino de sentimientos. El filósofo escocés del siglo XVIII David Hume estaría de acuerdo. Escribió que «la razón es y sólo debería ser la esclava de las pasiones». Si la razón se aísla del sentimiento, no deberíamos suponer que conduce siempre hacia el bien.

Aunque esta visión resulte demasiado pesimista y nunca sea racional hacer el mal, el problema al que nos enfrentamos es que jamás tenemos la certeza de estar siendo plenamente racionales. A quienes estimaban racional el estalinismo y el maoísmo, la lógica no les parecía defectuosa en absoluto. Sofía es inteligente, pero ¿cómo puede saber si la razón le exige de veras que coloque la bomba o si simplemente no ha logrado detectar el fallo en el razonamiento? Una cosa es creer en la soberanía de la razón y otra muy distinta creer en la capacidad humana de reconocer siempre las exigencias de dicha soberana.

VÉASE TAMBIÉN

19. Reventar la burbuja

Los miembros de la extraña secta de Weatherfield llevaban una vida muy aislada en St. Hilda Hogden House. Todos, excepto el líder, tenían prohibido cualquier contacto con el mundo exterior, y les enseñaban que la realidad era el mundo representado en las telenovelas, únicos programas de televisión que les permitían ver. Para los weatherfieldianos, *Coronation Street*, *Belleza y poder*, *EastEnders* y *Vecinos* no eran series de ficción, sino meros documentales. Y, como la mayoría de los miembros habían nacido en la comuna, el simulacro no era difícil de mantener.

Un día, sin embargo, el discípulo Kenneth, que siempre había sido algo rebelde, decidió salir de Hogden y visitar los lugares que había visto tan a menudo en la pantalla del altar. Ni que decir tiene que estaba estrictamente prohibido, pero Kenneth se las ingenió para escapar.

Lo que descubrió le dejó asombrado. La conmoción más fuerte le sobrevino cuando se las arregló para llegar a Coronation Street y descubrió que no estaba en Weatherfield, sino que se trataba de un plató en los Estudios Granada.

Pero, cuando regresó furtivamente a Hogden y les contó a sus condiscípulos lo que había descubierto, le tomaron por lunático. «Nunca deberías haberte marchado —le dijeron—. Ahí fuera no se está seguro. ¡La mente te tiende trampas!» Y le expulsaron de la comuna y le prohibieron que volviera.

Fuente: la alegoría de la caverna de *La república* de Platón (360 a.C.).

La historia de los weatherfieldianos es claramente una alegoría. Pero ¿qué representan sus diversos elementos?

Hay muchas formas de interpretar la parábola. Hay quien sostiene que el mundo de la experiencia ordinaria es una ilusión, y que las puertas del mundo real se abren con drogas sagradas o con prácticas de meditación. A quienes pretenden haber visto la verdad por este camino se les suele tachar de alucinados o excéntricos; pero ellos creen que los tontos somos nosotros, atrapados como estamos en el limitado mundo de la experiencia sensorial.

En términos más prosaicos, los weatherfieldianos de la vida real son aquellos que no se cuestionan lo que les dicen y se limitan a aceptar todo a pie juntillas. Tal vez no se crean literalmente que las telenovelas son verdad, pero aceptan sin cuestionarlos los saberes heredados, lo que leen en los periódicos y lo que ven en la televisión. De qué se trate exactamente dependerá de cómo les hayan socializado. Así, por ejemplo, hay quien considera una locura creer que el presidente de Estados Unidos pueda ser culpable de terrorismo. A otros les parece igual de absurdo sostener que, en realidad, es un tipo bastante listo.

Esto plantea la cuestión de cuál es la réplica de St. Hilda Hogden House en el mundo real. Por lo general no nos aislamos entre cuatro paredes, pero sí que limitamos de manera más sutil el campo de nuestra experiencia. Si sólo leemos un periódico, estamos restringiendo drásticamente el espacio intelectual en el que nos movemos. Si sólo discutimos de política con quienes comparten esencialmente nuestras opiniones, estamos erigiendo otra cerca metafórica en torno a nuestro pequeño mundo. Si nunca intentamos ver el mundo desde el punto de vista de los demás, ni recorrer con ellos un tramo del camino, estamos negándonos a mirar más allá de los muros del pequeño y confortable mundo que nos hemos construido.

Quizá la mayor dificultad a la que nos enfrentamos en este caso estriba en descubrir al Kenneth que llevamos dentro. ¿Cómo distinguir entre los tontos sumidos en el engaño de insensatas visiones del mundo y los que han descubierto una genuina dimensión desconocida de la vida que a nosotros se nos escapa? No podemos conceder el beneficio de la duda a todos los que creen haber accedido a las verdades ocultas. Para empezar, como sostienen cosas contradictorias, no pueden estar todos en lo cierto. Pero, si los despachamos a todos a la primera de cambio, corremos el riesgo de ser como los ingenuos y necios weatherfieldianos, condenados a aceptar una vida de ilusión en lugar de una vida real.

VÉASE TAMBIÉN

20. Condenada a vivir

Vitalia había descubierto el secreto de la vida eterna. Ahora se comprometía a destruirlo.

Hacía doscientos años que un tal doctor Makropulos le había dado la fórmula del elixir de la inmortalidad. Joven e insensata, lo había preparado y se lo había bebido. Ahora maldecía su ansia de vivir. Sus amigos, amantes y parientes habían envejecido y muerto, dejándola sola. Sin muerte que la acosase, carecía de toda iniciativa y ambición, y todos los proyectos que comenzaba parecían vanos. Presa del hastío y el cansancio, ya sólo anhelaba la tumba.

De hecho, la búsqueda de la extinción había sido la meta que había dado sentido a su vida el último medio siglo. Ahora disponía por fin del antídoto contra el elixir. Lo había tomado hacía unos días y podía sentir cómo se debilitaba por momentos. Lo único que le faltaba era asegurarse de que nadie estaría condenado a vivir como ella lo había estado. El elixir lo había destruido hacía mucho tiempo. Ahora cogió el trozo de papel que especificaba la fórmula y lo arrojó al fuego. Mientras lo veía arder, sonrió por vez primera en varias décadas.

Fuente: «El caso Makropulos», en *Problems of the Self*, de Bernard Williams (Cambridge University Press, 1973) (trad. cast.: *Problemas del yo*, México, UNAM, 1986).

La tragedia de la vida humana, se piensa con frecuencia, radica en que nuestra mortalidad implica que la muerte es lo único que sabemos con certeza que nos aguarda. La historia de Vitalia invierte esta sabiduría convencional y sugiere que la inmortalidad sería una maldición. Necesitamos la muerte para dar forma y sentido a la vida. Sin ella, la vida se nos antojaría inútil. Desde esta perspectiva, si el infierno es la condenación eterna, la eternidad de la vida en el Hades bastaría para convertirlo en un lugar de castigo.

Resulta sorprendente qué pocos de los que creen que sería deseable la vida eterna piensan seriamente en lo que conllevaría. Es comprensible. Lo que ante todo deseamos es vivir más. La duración exacta de la prórroga no es lo que más nos preocupa. Lo que nos parece es que setenta años, si tenemos suerte, no son suficientes. ¡Hay tanto que ver, hacer y experimentar! ¡Si dispusiéramos de más tiempo para hacerlo!

Pero quizá recortamos nuestros planes vitales para que encajen en la duración prevista, así que, por muchos años que tuviéramos, seguiríamos pensando que no bastaban. Consideremos, por ejemplo, el fenómeno de la «mediana juventud». Hace algunas generaciones, la inmensa mayoría solía casarse y tener hijos a los veintitantos años o antes. Ahora, con más dinero y contando con que viviremos más y podemos tener hijos más tarde, cada vez más gente disfruta de una adolescencia prolongada, hasta bien entrada la treintena. En comparación con las generaciones anteriores, los jóvenes relativamente acomodados viajan y experimentan mucho más. Pero ¿están satisfechos? Si acaso, esta generación se ocupa más que ninguna otra de lo que no tiene.

Por mucha vida que tengamos, nunca nos parece suficiente. No obstante, no estamos tan ansiosos como para aprovechar al máximo el tiempo del que disponemos. Y si nuestro tiempo fuese ilimitado, el concepto de «aprovechamiento máximo» carecería de sentido. No existiría el desperdicio de tiempo, porque el suministro de tiempo sería infinito. Y, sin razón alguna para aprovechar al máximo la vida que tenemos, ¿no se convertiría la existencia en una carga tediosa y vana?

Tal vez nos engañamos cuando decimos que el problema reside en la brevedad de la vida. Como no podemos alterar la duración de nuestra vida, ninguna tragedia resultante de su brevedad será culpa nuestra. Cuesta más admitir que somos responsables de cómo empleamos el tiempo que tenemos asignado. Quizá deberíamos dejar de pensar «si tuviera más tiempo» para pensar en cambio «si empleara mejor el tiempo del que dispongo».

VÉASE TAMBIÉN

21. El planeta de los epifenos

Epifenia era un planeta extraordinario. Igual que la Tierra en apariencia, pero sus habitantes eran diferentes en un aspecto singular.

Como le explicó uno de ellos, Huxley, al visitante terrícola Dirk, los epifenos habían «descubierto» hacía tiempo que sus pensamientos no afectaban a sus acciones. Los pensamientos eran efectos de procesos corporales y no a la inversa. A Dirk esto le parecía desconcertante.

«No podéis creer de veras tal cosa —protestó—. Por ejemplo, cuando nos encontramos en este bar, dijiste "¡Caramba, mataría por una cerveza!", y pediste una. ¿Estás diciendo que el pensamiento "Quiero una cerveza" no causó ningún efecto sobre tus acciones?»

«Desde luego que no —replicó Huxley como si la pregunta fuese absurda—. Tenemos pensamientos y éstos preceden a menudo a las acciones. Pero sabemos de sobra que tales pensamientos no *causan* las acciones. Mi cuerpo y mi cerebro se disponían ya a pedir una cerveza. El pensamiento "Mataría por una cerveza" sólo penetró en mi mente como resultado de lo que estaba ocurriendo en el cerebro físico y en el cuerpo. Los pensamientos no provocan acciones.»

«Para los epifenos es posible», replicó Dirk.

«Bueno, no veo en qué se diferencian los humanos», dijo Huxley y, al menos por un rato, Dirk le dio la razón.

Fuente: Aunque no empleó este término, T. H. Huxley defendió el «epifenomenalismo» principalmente en un artículo de 1874 titulado «On the Hypothesis that Animals are Automata, and its History», reeditado en *Method and Results: Essays by Thomas H. Huxley* (D. Appleton and Company, 1898).

El filósofo estadounidense Jerry Fodor dijo una vez que si el epifenomenalismo fuese cierto, sería el fin del mundo. El epifenomenalismo es la teoría según la cual los pensamientos y otros sucesos mentales no causan nada en el mundo físico, incluidas nuestras acciones. Antes bien, el cerebro y el cuerpo funcionan como una especie de máquina puramente física y nuestra experiencia consciente es un subproducto causado por la máquina, pero que no la afecta.

La razón por la que esto supondría el fin del mundo es que todo cuanto parecemos creer sobre lo que somos depende aparentemente de la idea de que los pensamientos son la causa de las acciones. Si lo que sucede en nuestra mente no produce ningún impacto en lo que realmente hacemos, el mundo tal como lo concebimos es una mera ilusión.

Pero ¿es ésta la auténtica consecuencia de la aceptación del epifenomenalismo? El planeta imaginario de Epifenia está diseñado para poner a prueba la idea de que nadie puede vivir con la verdad del epifenomenalismo. Lo que se sugiere es que podemos llegar a concebir el epifenomenalismo como una verdad banal que no influya en nuestra forma de vivir. La tesis básica es que lo que siente un epifeno es exactamente lo mismo que lo que siente un ser humano. En ambos casos, el pensamiento acompaña a la acción exactamente del mismo modo. La única diferencia es que los epifenos no creen que sus pensamientos provoquen efecto alguno.

Ahora bien, ¿de veras es posible separar lo que creemos acerca de la conexión entre pensamiento y acción de nuestra forma de vivir? Algunos como Fodor piensan que no, pero no queda nada claro por qué no puede lograrse esta separación. Por ejemplo, consideremos una situación en la que el pensamiento sí que parece crucial. Supongamos que estamos tratando de hallar la solución de un intrincado problema lógico o matemático. Por fin exclamamos: ¡Eureka! ¿Acaso el pensamiento no desempeña aquí un papel en la explicación de nuestras acciones?

Pues no. ¿Por qué no creer que la experiencia consciente del pensamiento es un mero subproducto de los cómputos que se están efectuando en el nivel cerebral? Puede que sea el subproducto *necesario*. Ahora bien, así como el ruido que hace una olla de agua hirviendo es un subproducto inevitable del calentamiento sin que ello signifique que es el ruido lo que cuece el huevo, así también el pensamiento podría ser el subproducto necesario del cómputo neuronal, que no produce por sí mismo la solución del problema.

De hecho, si analizamos el pensamiento, sí que parece haber en él algo de involuntario. Por ejemplo, las soluciones «llegan a nosotros», no nosotros a ellas. Reflexionemos sobre lo que supone realmente pensar, y puede que no resulte tan descabellada la idea de que se trata de un subproducto de un proceso del que no somos conscientes.

VÉASE TAMBIÉN

22. El bote salvavidas

«De acuerdo —dijo Roger, el autoproclamado capitán del bote salvavidas—. Somos doce en este bote, lo cual es estupendo, porque cabríamos hasta veinte. Y tenemos víveres suficientes para resistir hasta que alguien venga a rescatarnos, lo que sucederá antes de veinticuatro horas. Por tanto, creo que podemos permitirnos otra galleta de chocolate y otro trago de ron por persona. ¿Alguna objeción?»

«Aunque me encantaría comerme otra galleta —dijo el señor Mates—, ¿no deberíamos considerar prioritario en este momento llevar el bote hasta allí y recoger a esa pobre mujer que se está ahogando y lleva media hora pidiéndonos auxilio?» Unos cuantos bajaron la vista y miraron el fondo del bote, avergonzados, mientras otros movían la cabeza con incredulidad.

«Creí que estábamos de acuerdo —dijo Roger—. Si se ahoga no es culpa nuestra, y si la rescatamos no nos podremos comer las raciones que nos sobran. ¿Por qué interrumpir una situación tan agradable?» Hubo gruñidos de aprobación.

«Porque podríamos salvarla y, si no lo hacemos, morirá. ¿No es razón suficiente?»

«¡Qué perra vida! —replicó Roger—. Si muere, no es porque la hayamos matado nosotros. ¿Alguien quiere una galleta?»

Fuente: «Lifeboat Earth», de Onora O'Neill, reeditado en *World Hunger and Moral Obligation*, compilado por W. Aiken y H. La Follette (Prentice-Hall, 1977).

La metáfora del bote salvavidas es muy fácil de interpretar. El bote es el Occidente opulento y la mujer que se está ahogando los que mueren de malnutrición y enfermedades evitables en el mundo en vías de desarrollo. Y la actitud del mundo desarrollado es, según esta interpretación, tan cruel como la de Roger. Disponemos de alimentos y medicinas para todos, pero preferimos disfrutar de lujos y dejar que otros mueran a quedarnos sin nuestra «galleta sobrante» y salvarlos. Si las personas del bote salvavidas son terriblemente inmorales, también lo somos nosotros.

La inmoralidad es aún más clamorosa en otra versión de la analogía, en la que el bote salvavidas representa la totalidad del planeta Tierra y algunos se niegan a distribuir comida a otros que ya están a bordo. Si parece cruel no hacer el esfuerzo de subir al bote a otra persona, más cruel aún resulta negar el alimento a los ya rescatados del agua.

La imagen es poderosa y el mensaje aterrador. Pero ¿resulta convincente la analogía? Alguien podría objetar que el escenario del bote salvavidas pasa por alto la importancia del derecho de propiedad. Los bienes del bote salvavidas están a disposición de quienes los necesitan, y nadie puede reclamar más derechos sobre ellos que los demás. Así pues, partimos del supuesto de que todo lo que no sea una distribución equitativa en función de las necesidades es injusto, salvo que se demuestre lo contrario.

En el mundo real, sin embargo, la comida y los demás bienes no están simplemente ahí a la espera de su distribución. La riqueza se crea y se gana. Por tanto, si yo me niego a darle a otro algo de mi excedente, no me estoy apropiando injustamente de lo que le corresponde, sino que me limito a preservar lo que es legítimamente mío.

No obstante, por más que se adapte la analogía para reflejar esta circunstancia, no desaparece la patente inmoralidad. Imaginemos que todas las provisiones del bote les pertenecen a los que están a bordo. Con todo, una vez en el bote, y una vez reconocida la necesidad de la mujer que se está ahogando, ¿no estaría mal decir: «Que se muera, ¡estas galletas son mías!»? En la medida en que haya suficiente excedente para mantenerla también a ella, el hecho de que se esté muriendo debería movernos a cederle parte de nuestras pertenencias.

La ONU ha fijado, para los países desarrollados, el objetivo de dar el 0,7 % del PIB en concepto de ayuda al desarrollo. Pocos lo han cumplido. Para la inmensa mayoría de la gente, entregar el 1 % de sus ingresos para ayudar a los empobrecidos tendría un efecto insignificante en su calidad de vida. La analogía del bote salvavidas sugiere que no se trata de que seríamos buenos si lo hiciéramos, sino de que somos terriblemente malos si no lo hacemos.

Véase también

23. El escarabajo en la caja

Ludwig y Bertie eran dos niños precoces. Como a tantos niños, les gustaba jugar con sus lenguajes privados. Uno de sus favoritos, que desconcertaba a los adultos, se llamaba «Escarabajo».

Empezó un día en que encontraron dos cajas. Ludwig propuso que cada uno cogiera una y mirase sólo su interior, no el de la otra. Más aún, nunca describiría lo que había en la caja ni lo compararía con nada de fuera. Cada uno se limitaría a dar el nombre de «escarabajo» al contenido de su caja.

Por algún motivo, esto les parecía muy divertido. Cada uno decía con orgullo que tenía un escarabajo en su caja, pero, cuando alguien les pedía que explicasen qué era ese escarabajo, se negaban a hacerlo. Puede que una o ambas cajas estuviesen vacías o que contuvieran cosas muy diferentes. No obstante, ellos insistían en usar la palabra «escarabajo» para referirse a los contenidos de sus cajas y actuaban como si la palabra tuviera un uso perfectamente razonable en su juego. Esto resultaba inquietante, especialmente para los adultos. ¿Era «escarabajo» una palabra absurda o tenía un significado privado que sólo los niños conocían?

Fuente: *Philosophische Untersuchungen*, de Ludwig Wittgenstein (1953) (trad. cast.: *Investigaciones filosóficas*, Barcelona, Crítica, 1988).

Este extraño juego es una variación de otro bosquejado por el inconformista filósofo austriaco Ludwig Wittgenstein. Para Wittgenstein, no obstante, todo uso del lenguaje es una especie de juego, toda vez que se basa en una combinación de reglas y convenciones, no siempre explicitables, que sólo los jugadores entienden realmente.

Lo que Wittgenstein nos invita a preguntarnos es: ¿se refiere a algo la palabra «escarabajo»? Y si no es así, ¿qué significa? Aunque el pasaje en el que discute este asunto se presta a innumerables interpretaciones, parece claro que, a juicio de Wittgenstein, lo que hay en la caja no influye en el modo de usar la palabra. Por consiguiente, al margen de lo que signifique el término, si es que significa algo, los contenidos reales de la caja no tienen nada que ver con él.

Todo esto parece claro. Pero ¿qué importancia tiene? Después de todo, a diferencia de Ludwig y Bertie, nosotros no jugamos a cosas tan extrañas, ¿verdad? O tal vez sí. Consideremos qué sucede cuando digo: «Tengo un dolor en la rodilla». En este caso, la caja es mi experiencia interna. Como los recipientes de Ludwig y Bertie, nadie más que yo puede ver su interior. Tampoco puedo describirlo en términos de algo exterior a mí. Todo el vocabulario del dolor se refiere a sensaciones, y todas ellas están dentro de las cajas de nuestra experiencia subjetiva.

No obstante, usted también tiene su «caja». Usted también usa la palabra «dolor» para referirse a algo que sucede dentro de ella. Y yo tampoco puedo ver dentro de su experiencia. Así pues, nuestra situación parece considerablemente semejante a la de Bertie y Ludwig. Ambos disponemos de palabras que se refieren a cosas que sólo nosotros podemos experimentar. Pero, pese a todo, seguimos usando estas palabras como si significasen algo.

La lección del ejemplo del escarabajo es que, ocurra lo que ocurra en nuestro interior, no tiene nada que ver con lo que significa una palabra como «dolor». Esto es bastante chocante, pues asumimos que con el término «dolor» nos referimos a una suerte de sensación privada. Pero el argumento del escarabajo parece mostrar que *no puede* significar eso. Antes bien, las reglas que gobiernan el uso correcto de «dolor» y, por ende, también su significado, son públicas. Que sepamos, cuando ambos decimos que sentimos dolor, lo que sucede dentro de mí es muy diferente de lo que sucede dentro de usted. Lo único que importa es que ambos usamos la palabra en situaciones en las que resultan evidentes ciertas pautas de conducta, como las muecas y el aturdimiento. Si esta línea de razonamiento es correcta, nuestro uso ordinario del lenguaje se asemeja mucho al extraño juego de Ludwig y Bertie.

VÉASE TAMBIÉN

24. La cuadratura del círculo

Y el Señor le habló al filósofo: «Yo soy el Señor, tu Dios, y soy todopoderoso. No hay nada que puedas decir y yo no pueda hacer. ¡Es fácil!».

Y el filósofo le respondió al Señor: «De acuerdo, poderoso Señor. Convierte todo lo azul en rojo y todo lo rojo en azul».

El Señor dijo: «¡Que se inviertan los colores!». Y los colores se invirtieron, para gran confusión de los abanderados de Polonia y San Marino.

Y el filósofo le dijo luego al Señor: «Impresióname: haz un círculo cuadrado».

El Señor dijo: «Que haya un círculo cuadrado». Y lo hubo.

Pero el filósofo protestó: «Eso no es un círculo cuadrado. Es un cuadrado».

El Señor se enfadó. «Si yo digo que es un círculo, es un círculo. Cuida tu impertinencia o mi castigo será implacable.»

Pero el filósofo insistió: «Yo no te pedí que cambiases el significado de la palabra "círculo" para que signifique "cuadrado". Quería un círculo realmente cuadrado. Admítelo: eso no puedes hacerlo».

El Señor reflexionó unos instantes, y luego decidió responder descargando su colosal venganza sobre el sagaz trasero del filósofo.

Para evitar toda sospecha de que la presunta incapacidad de Dios para crear un círculo cuadrado sea una simple parodia atea, habría que recordar que los teístas clásicos, como santo Tomás de Aquino, aceptaban de buen grado estas limitaciones del poder de Dios. Esto puede parecer extraño, pues si Dios es todopoderoso no hay nada que no pueda hacer.

Tomás de Aquino y la inmensa mayoría de sus sucesores no estaban de acuerdo. Tenían poca elección. Como muchos creyentes, Tomás pensaba que la creencia en Dios era compatible con la racionalidad. Esto no significa decir que la racionalidad proporcione todas las razones suficientes para creer en Dios, ni que aplicando la racionalidad podamos agotar todo cuanto cabe decir sobre lo divino. La tesis más modesta sostiene que no existe conflicto entre la racionalidad y la creencia en Dios. No hemos de ser irracionales para creer en Dios, aunque eso ayude.

Esto significa que cualquier creencia que mantengamos sobre Dios no debe ser irracional. Es decir, no podemos atribuir a Dios ninguna cualidad que nos comprometa a aceptar creencias irracionales.

El problema con cosas tales como círculos cuadrados es que son lógicamente imposibles. Como un círculo es, por definición, una figura de un solo lado y un cuadrado una figura de cuatro lados, y como una figura de un solo lado de cuatro lados es una contradicción en sus términos, entonces un círculo cuadrado es una contradicción en sus términos y resulta imposible en todos los mundos posibles. Son exigencias de la racionalidad. Por tanto, si decimos que la omnipotencia de Dios significa que puede crear figuras tales como círculos cuadrados, decimos adiós a la racionalidad.

Por tal motivo, la mayoría de los creyentes concluyen de buen grado que la omnipotencia de Dios significa que éste puede hacer todo lo lógicamente posible, pero no aquello que es imposible en términos lógicos. Aducen que esto no implica limitar el poder de Dios, pues la idea de un ser con más poder resulta una contradicción.

Ahora bien, si aceptamos esta concesión, abrimos la puerta al escrutinio racional del concepto de Dios y de la coherencia de la creencia en él. Al aceptar que la creencia en Dios debe estar en armonía con la razón, el creyente está obligado a tomarse en serio las tesis de que la creencia en Dios es irracional. Tales argumentos incluyen la afirmación de que un Dios que es todo amor resulta incompatible con el sufrimiento innecesario que vemos en el mundo; o que el castigo divino es inmoral, dado que Dios es responsable en última instancia de la naturaleza humana. No basta con aducir que se trata simplemente de cuestiones de fe, si aceptamos el requisito de que la fe sea compatible con la razón.

La senda alternativa para los creyentes es todavía más difícil de aceptar: negar que la razón tenga algo que ver con esto y basarse exclusivamente en la fe. Lo que se muestra contrario a la razón se califica simplemente de misterio divino. Esta senda está abierta para nosotros, pero cabe alegar que tan fácil abandono de la razón en una esfera de la vida, mientras vivimos el resto del tiempo como personas razonables, implica vivir una vida escindida.

Véase también

25. Buridán es un asno

La verdad es que Buridán tenía mucha hambre. Todo había empezado con su resolución de que toda decisión que tomara habría de ser completamente racional. El problema era que se había quedado sin comida porque vivía a la misma distancia de dos supermercados idénticos. Como no tenía más motivos para ir a uno que al otro, quedó atrapado en un estado de suspensión perpetua, incapaz de hallar fundamento racional alguno para elegir uno de los supermercados.

Cuando el ruido de sus tripas se hizo intolerable, creyó haber dado con la solución. Como era claramente irracional morirse de hambre, ¿no sería acaso racional elegir al azar entre ambos establecimientos? Bastaría con lanzar una moneda a cara o cruz, o ver en qué dirección le apetecía echarse a andar. Sin duda era más racional que quedarse sentado en casa sin hacer nada.

Pero ¿le exigiría esta conducta romper su regla de tomar sólo decisiones plenamente racionales? Lo que su argumento parecía sugerir es que sería racional por su parte tomar una decisión irracional, basada, por ejemplo, en echar una moneda al aire. Ahora bien, ¿es racional la irracionalidad racional? La hipoglucemia de Buridán le hacía imposible responder la pregunta.

Fuente: la paradoja del asno de Buridán, discutida por vez primera en la Edad Media.

Nada confiere con tanta eficacia la ilusión de profundidad como una paradoja que suene a sabiduría. ¿Qué les parece ésta?: «Para avanzar, es preciso retroceder». Intenten ustedes inventar una. Es fácil. Piensen primero en algo que deseen explicar (el conocimiento, el poder, los gatos). Luego piensen en su opuesto (la ignorancia, la impotencia, los perros). Finalmente, intenten combinar ambos elementos para sugerir algo sabio. «El conocimiento superior es el conocimiento de la ignorancia.» «Sólo el impotente conoce el verdadero poder.» «Para conocer al gato, hay que conocer también al perro.» En fin, suele funcionar.

Buridán parece haber hallado la manera de decir algo que suene igualmente paradójico: a veces es racional hacer algo irracional. ¿Se trata de algo tan vacío como la orden de conocer a un tiempo a gatos y perros, de una auténtica agudeza o de una mera incoherencia?

Cabría alegar que jamás puede ser racional hacer algo irracional. Supongamos, por ejemplo, que lo supuestamente irracional es tomar una decisión a cara o cruz. Si decimos que es racional hacerlo, lo que estaremos diciendo es que, después de todo, tomar la decisión a cara o cruz es racional, no que es un acto irracional que realizamos racionalmente.

La aparente paradoja es el resultado de una imprecisión lingüística. Lanzar una moneda al aire no es necesariamente un modo *irracional* de tomar una decisión, es simplemente una forma *no racional*. Es decir, no es ni racional ni irracional, sino un proceso en el que no interviene la racionalidad. Mucho de cuanto hacemos es no racional en este sentido. Por ejemplo, preferir el vino tinto al blanco no es irracional, pero tampoco racional. La preferencia no se basa en razones, sino en gustos.

Una vez que aceptamos esto, la paradoja se desvanece. La conclusión de Buridán es que a veces es racional adoptar procedimientos no racionales de toma de decisión. En su caso, como la razón no puede determinar a qué supermercado debe acudir, pero necesita acudir a uno, es perfectamente razonable elegir al azar. Aquí no hay paradoja alguna.

Sin embargo, la moraleja de la historia es sumamente importante. Mucha gente sostiene que la racionalidad está sobrevalorada, pues no todo lo que hacemos puede explicarse o determinarse racionalmente. Esto supone utilizar razones adecuadas para alcanzar una conclusión falsa. La racionalidad sigue siendo soberana porque sólo la razón puede decirnos cuándo deberíamos adoptar procedimientos racionales o no racionales. Por ejemplo, si una hierba medicinal funciona, la racionalidad puede decirnos que deberíamos tomarla, incluso si no podemos explicar racionalmente su funcionamiento. Pero la racionalidad prevendría contra la ingestión de medicinas homeopáticas, pues no hay razones para pensar que sean efectivas. Aceptar que puede ser racional ser no racional no significa abrir la puerta a la irracionalidad.

VÉASE TAMBIÉN

26. Lo que queda del dolor

La tensión en el auditorio era palpable cuando el doctor se puso la mascarilla y los guantes y se dispuso a aplicar aguja e hilo a la pierna del hombre consciente sujeta con una correa. Cuando atravesó con la aguja la carne, el paciente profirió un fuerte grito de dolor. Pero, una vez que la aguja le hubo atravesado, pareció extrañamente tranquilo.

«¿Cómo ha ido?», preguntó el doctor.

«Bien —respondió el hombre entre los gritos de asombro del público—. Es justo como usted dijo: recuerdo que me atravesó con la aguja, pero no recuerdo ningún dolor.»

«¿Algún problema entonces si le doy la siguiente puntada?»

«En absoluto. No soy nada aprensivo.»

El doctor se volvió al público y le explicó: «El procedimiento que he desarrollado no elimina, como un anestésico, la sensación de dolor. Lo que hace es evitar que se instale algún recuerdo del dolor en el sistema nervioso del paciente. Si no vamos a recordar el dolor momentáneo, ¿por qué temerlo? Nuestro paciente demuestra que no se trata de un sofisma teórico. Ustedes han presenciado su dolor, pero él, habiéndolo olvidado, no teme repetir la experiencia. Esto nos permite intervenir quirúrgicamente al paciente plenamente consciente, lo que resulta sumamente útil en ciertos casos. Y ahora, si me disculpan, tengo que seguir cosiendo».

El filósofo político Jeremy Bentham argüía que, al pensar en los derechos morales de los animales, «la pregunta no es si pueden razonar ni si pueden hablar, sino más bien si pueden sufrir». Pero ¿qué significa sufrir? Con frecuencia suponemos que es justamente sentir dolor. Luego, si los animales pueden sentir dolor, merecen consideración moral. Eso se debe a que sentir dolor es malo en sí mismo, por lo que causar un daño innecesario es aumentar la suma total de cosas malas sin ninguna buena razón.

Ciertamente parece indiscutible que el dolor es malo. Pero ¿cómo *es* de malo? Este experimento mental cuestiona la intuición de que el dolor en sí es algo muy malo; separa la sensación de dolor de la anticipación y el recuerdo del dolor. Como no recuerda su dolor, nuestro paciente no tiene nada malo que asociar con su inminente dolor, por lo que tampoco lo teme. No obstante, en el momento de sentir el dolor, éste es intenso y muy real.

Aunque seguiría pareciendo malo infligir dolor al hombre sin ningún motivo, pues en el momento de infligirlo estaría ocurriendo algo innecesariamente malo, lo cierto es que no parece que causar tal dolor sea una maldad terrible. Esto se debe en buena medida a que la persona que siente el dolor ni lo teme ni lo recuerda.

Lo que suele volver tan mala la provocación del dolor debe ser, pues, algo relacionado con la manera en que nos marca a la larga y nos crea temor. Tal vez deberíamos concebir de este modo el sufrimiento. Por ejemplo, un agudo dolor momentáneo en una muela es desagradable, pero pasa y no afecta demasiado a nuestra vida. Pero, si tenemos ese dolor con regularidad, sufrimos de veras. No se trata tanto de que se acumulen los dolores. Más bien se trata de la repetición del dolor, del conocimiento de que ha de volver y del modo en que cada dolor deja un rastro en el recuerdo y tiñe el pasado con su negatividad: todos estos factores conectan los episodios concretos de dolor en un patrón progresivo que constituye el sufrimiento.

Si esto es cierto, para responder la pregunta de Bentham sobre los animales no sólo precisamos saber si éstos sienten dolor, sino si poseen el recuerdo y la anticipación del dolor que son necesarios para el sufrimiento. Sin duda muchos animales sí. Un perro constantemente maltratado sí que parece sufrir. Pero cabe sostener que animales menos complejos, que viven sólo el momento, no pueden sufrir de esa manera. ¿Podría ser, por ejemplo, que un pez colgado de una caña de pescar no esté sufriendo realmente una muerte lenta y dolorosa, sino que esté experimentando meramente una serie de momentos dolorosos inconexos? De ser así, como nuestro doctor, puede que no veamos nada terriblemente malo en el hecho de infligir estos dolores fugaces.

VÉASE TAMBIÉN

5. El cerdo que quería ser jamón
17. La opción de la tortura
57. Comerse a Tiddles
68. Dolor loco

27. Deberes cumplidos

Hew, Drew, Lou y Sue prometieron a su madre que le escribirían con regularidad para contarle cómo les iba durante su viaje alrededor del mundo.

Hew escribió sus cartas, pero se las dio a otros para que las enviasen y ninguno se preocupó de hacerlo. Así que su madre nunca recibió cartas suyas.

Drew escribió sus cartas y las envió ella misma, pero las echó por descuido en buzones inutilizados, no les puso suficientes sellos y cometió otros errores que hicieron que ninguna llegara.

Lou escribió y envió todas sus cartas como es debido, pero el sistema de correos le falló en todas las ocasiones. Su madre no supo de ella.

Sue escribió y envió todas sus cartas correctamente, y llamó por teléfono para comprobar si habían llegado. Pero ninguna llegó.

¿Cumplió su promesa alguno de los hijos?

Fuente: la filosofía moral de H. A. Prichard, según la crítica de Mary Warnock en *What Philosophers Think*, compilado por J. Baggini y J. Stangroom (Continuum, 2003).

¡Un apremiante problema ético, sin duda! De este tenor eran los asuntos discutidos durante buena parte del siglo XX en la filosofía moral británica, antes de que la radicalización de finales de la década de 1960 se centrase tardíamente en los temas de la guerra, la pobreza y los derechos de los animales.

No obstante, sería una insensatez despachar por la vía rápida problemas como éste. Puede que el contexto sea prosaico, pero el tema moral que plantea es importante. No nos dejemos engañar por tan insulso escenario. La cuestión es: ¿en qué punto podemos decir que hemos cumplido con nuestras responsabilidades morales? No sólo es aplicable al envío de noticias a los padres, sino también a la anulación de órdenes de ataque nuclear.

El tema es si podemos decir que hemos cumplido con nuestro deber si la consecuencia deseada de nuestra acción no se produce. En general, decir que la respuesta es siempre negativa parecería una regla demasiado dura. Sue hizo todo lo que pudo para garantizar que sus cartas llegasen a casa, pero aun así no llegaron. ¿Cómo puede ser responsable del fallo cuando no estaba en su poder hacer otra cosa? Por eso no responsabilizamos a alguien de los fallos si hizo todo lo que pudo.

Sin embargo, eso no significa que excusemos a alguien si no se esfuerza lo suficiente. Ni Hew ni Drew parecieron prestar suficiente atención a sus deberes epistolares. Parece razonable decir que no cumplieron sus promesas.

El caso más interesante es el de Lou, pues podría haber hecho más para garantizar que llegasen las noticias, pero, al mismo tiempo, se diría que hizo todo lo razonablemente esperable.

La idea de lo que es razonable esperar resulta crucial en este punto. Si estuviéramos hablando de la orden para cancelar un ataque nuclear, nuestras expectativas de los controles y las medidas extraordinarias que habría que adoptar serían muy superiores. El grado en que se requiere que nos aseguremos de que se produce efectivamente el resultado deseado varía, pues, en función de la importancia del resultado. No es tan grave que nos olvidemos de programar el vídeo. Olvidarse de retirar las tropas es inexcusable.

El problema de las cartas de vacaciones plantea uno de los temas fundamentales de la filosofía moral: el vínculo entre los agentes, las acciones y sus consecuencias. Lo que sugiere este experimento mental es que el razonamiento ético no puede centrarse en uno solo de estos elementos. Si la ética sólo se ocupa de las consecuencias, desembocamos en el disparate de que incluso alguien como Sue, que hace todo cuanto está en su mano, obra mal si sus acciones no tienen un buen resultado. Ahora bien, si la ética no se preocupa en absoluto por las consecuencias, incurrimos en otro disparate, pues ¿cómo *no* habría de importar lo que suceda realmente como resultado de nuestras acciones?

Si el problema concreto del envío de cartas es trivial, las cuestiones que plantea ciertamente no lo son.

VÉASE TAMBIÉN

28. Pesadillas

Lucy estaba teniendo la pesadilla más horrible. Soñaba que unos monstruos con aspecto de lobos habían entrado en su habitación por las ventanas mientras dormía y habían empezado a destrozarla. Luchaba y gritaba, pero sentía cómo le clavaban las garras y los dientes.

Entonces se despertó, sudando y respirando con dificultad. Miró a su alrededor por la habitación para cerciorarse y dejó escapar un suspiro de alivio porque todo había sido un sueño.

Entonces, con un estrépito aterrador, entraron por la ventana unos monstruos y empezaron a atacarle, igual que en el sueño. El terror se multiplicó por el recuerdo de la pesadilla que acababa de tener. Sus gritos se mezclaron con sollozos cuando sintió su impotencia.

Entonces se despertó, sudando, respirando aún más deprisa. Aquello era absurdo. Había soñado dentro de un sueño, de modo que la primera vez que parecía haberse despertado seguía soñando todavía. Volvió a examinar su habitación. Las ventanas estaban intactas y no había monstruos. Pero ¿cómo podía estar segura de que esta vez se había despertado de verdad? Esperó, aterrorizada, a que el tiempo lo dijese.

Fuentes: la primera de las *Meditaciones metafísicas* de René Descartes (1641); *Hombre-lobo americano en Londres*, dirigida por John Landis (1981).

El fenómeno del falso despertar no es nada extraordinario. Soñamos con frecuencia que nos hemos despertado, para luego descubrir que en realidad no hemos salido de la cama ni entrado en la cocina en cueros para encontrarnos una fiesta con enormes conejos y cantantes pop.

Si podemos soñar que nos hemos despertado, ¿cómo sabemos cuándo hemos despertado de verdad? De hecho, ¿cómo sabemos que nos hemos despertado realmente *alguna vez*?

Algunos asumen que la respuesta a esta pregunta es sencilla. Los sueños son fragmentarios e inconexos. Sé que ahora estoy despierto porque los acontecimientos se desarrollan de forma lenta y coherente. No me topo de repente con animales que bailan ni descubro que puedo volar. Y las personas que me rodean siguen siendo como son, no se transforman en compañeros de clase antaño olvidados ni en Al Gore.

Ahora bien, ¿de veras es suficiente esta respuesta? Una vez tuve un sueño muy real en el que vivía en una casita de la pradera, igual que en *La casa de la pradera*. Por la colina venía alguien a quien reconocí inmediatamente como el pastor Green. Lo significativo aquí es que evidentemente esta vida de sueño no había pasado. Había comenzado a experimentarla sólo cuando empezó el sueño. Pero no es así como yo me sentía en aquel momento. Me parecía que siempre había vivido allí, y mi «reconocimiento» del pastor Green era prueba de que no había caído de repente en un extraño mundo nuevo.

Ahora estoy sentado en un tren tecleando en un ordenador portátil. Siento que se trata de la última de una serie de entradas que estoy escribiendo para un libro titulado *El cerdo que quería ser jamón*. Y, aunque en este momento no sea consciente de cómo llegué aquí, una breve reflexión me basta para reconstruir el pasado y conectarlo con el presente. Pero ¿no es posible que no esté *reconstruyendo* el pasado sino *construyéndolo*? Mi sensación de que lo que experimento se remonta a mi historia pasada podría ser tan ilusoria como lo era cuando soñé que vivía en las praderas. Todo cuanto «recuerdo» podría estar irrumpiendo en mi mente por primera vez. Esta vida, que siento que dura más de treinta años, podría haber empezado en un sueño hace sólo unos instantes.

Otro tanto podría sucederle a usted. Podría estar leyendo este libro en un sueño, convencido de que se lo compró o se lo dieron hace algún tiempo y convencido de haber leído ya algunas páginas. Pero en los sueños tenemos la misma convicción y, en esos momentos, nuestra vida soñada no parece fragmentaria e inconexa sino coherente. Puede que hasta que despierte no se dé cuenta de lo absurdo que es en realidad lo que ahora mismo le parece normal.

Véase también

29. Dependencia vital

Dick había cometido un error, pero sin duda estaba pagando un precio demasiado alto. Desde luego sabía que la planta sexta del hospital era un área restringida. Pero, después de haberse bebido demasiadas copas de vino con sus colegas en la fiesta de Navidad del departamento de finanzas, había salido tambaleándose del ascensor en la sexta planta y se había quedado dormido en una de las camas vacías.

Cuando se despertó, descubrió horrorizado que le habían confundido con un voluntario en un nuevo procedimiento para salvar vidas. Los pacientes que requerían trasplantes de órganos vitales para sobrevivir se conectaban a voluntarios, cuyos órganos vitales les mantenían a ambos con vida. Esta situación se mantenía hasta que aparecía un donante, lo que solía llevar unos nueve meses.

Dick llamó enseguida a una enfermera para explicarle el error, quien a su vez fue a buscar a un doctor de semblante consternado.

«Comprendo su indignación —explicó el médico—, pero usted actuó de manera irresponsable y ahora se encuentra en esta situación. La cruda realidad es que, si le desconectamos, el violinista mundialmente famoso que depende de usted morirá. De hecho le estaría asesinando.»

«¡Pero ustedes no tienen derecho! —protestó Dick—. Incluso si muere sin mí, ¿cómo pueden obligarme a renunciar a nueve meses de mi vida para salvarle?»

«Creo que lo que debería preguntarse —dijo con severidad el doctor— es cómo podría optar por acabar con la vida del violinista.»

Fuente: «A defense of abortion», de Judith Jarvis Thomson, en *Philosophy and Public Affairs*, nº 1 (1971) e incluido en diversas antologías (trad. cast.: «Defensa del aborto», en R. M. Dworkin, *La filosofía del derecho*, México, FCE, 1980).

Una situación muy fantasiosa, pensarán. Pero considerémoslo de nuevo. Alguien comete un error de forma imprudente, posiblemente por haber bebido demasiado. Como consecuencia, una segunda vida pasa a depender de su cuerpo durante nueve meses, transcurridos los cuales se vuelve independiente. La apurada situación de Dick recuerda bastante un embarazo no deseado.

El paralelismo fundamental estriba en que, en ambos casos, para librarse de su papel no deseado de máquinas mantenedoras de una vida humana, tanto la mujer embarazada como Dick han de hacer algo que provocará la muerte del ser que depende de ellos. Nuestra visión de cómo debería actuar Dick repercutirá en nuestra visión de cómo debería comportarse la mujer embarazada.

A muchos les parecería injusto exigir que Dick permaneciese nueve meses conectado al violinista. Sería muy bueno por su parte si lo hiciera, pero no podemos exigirle a nadie que deje en suspenso su vida durante tanto tiempo al servicio de otros. Aunque es cierto que el violinista moriría sin Dick, parece excesivo decir que Dick es un asesino si afirmamos su derecho a la libertad.

Si Dick está autorizado a desconectarse, ¿por qué no iba a estar autorizada a abortar la mujer embarazada? De hecho, podría parecer que ésta tiene más derecho a abortar que Dick a desconectarse. En primer lugar, ella no sólo tendrá que hacer frente a nueve meses de embarazo: el nacimiento de su hijo comportará una responsabilidad de por vida. En segundo lugar, ella no acabará con la vida de un adulto talentoso y con un gran porvenir, sino, al menos en los primeros meses de embarazo, con una mera persona potencial que carece de conciencia de sí misma y del entorno.

Los paralelismos brindan a los defensores del aborto un modo de enfrentarse directamente a la acusación de que abortar significa matar, alegando que, pese a todo, la mujer embarazada tiene derecho a acabar con la vida del feto.

Por supuesto, cabe argumentar desde la posición contraria. El feto es indefenso, se dirá, lo que constituye un motivo mayor, no menor, para protegerlo. Los inconvenientes para la mujer embarazada son mucho menores que los de Dick, realmente aprisionado e inmovilizado. Y cabe aducir incluso que Dick está obligado a permanecer conectado al violinista durante nueve meses. En ocasiones, una combinación de conducta irresponsable y mala suerte ocasiona serias consecuencias de las que no podemos desentendernos sin más. Quizás el dilema de Dick sea, a la postre, tan difícil como el de la mujer embarazada y no nos ayude en absoluto a aclararlo.

30. Forjando recuerdos

Alicia recuerda claramente la visita al Partenón de Atenas, y que la vista de las ruinas desde cerca impresionaba menos que desde la distancia, majestuosamente asentado en la Acrópolis. Pero Alicia nunca ha estado en Atenas, luego lo que recuerda es la visita al Partenón, no *su* visita al Partenón.

No es que Alicia se engañe. Lo que recuerda es lo que era realmente. Le han realizado un implante de memoria. Su amiga Mayte había estado en Grecia de vacaciones y, cuando volvió, acudió a la tienda de procesamiento de memoria Kadok para que le descargasen en un disco sus recuerdos vacacionales. Luego Alicia había llevado este disco a la misma tienda y le habían cargado los recuerdos en su cerebro. Ahora dispone de todo un repertorio de recuerdos vacacionales de Mayte, que para ella tienen el carácter de todos sus otros recuerdos: todos ellos son recuerdos en primera persona.

Lo único inquietante, sin embargo, es que Mayte y Alicia han intercambiado recuerdos tantas veces que parecen haber vivido literalmente el mismo pasado. Aunque Alicia sabe que en realidad debería decir que recuerda las vacaciones de Mayte en Grecia, le parece más natural decir simplemente que recuerda las vacaciones. Pero ¿cómo puede uno recordar lo que nunca hizo?

Fuente: sección 80 de *Reasons and Persons*, de Derek Parfit (Oxford University Press, 1984) (trad. cast.: *Razones y personas*, Madrid, A. Machado Libros, 2005).

A veces los experimentos mentales tensan tanto nuestros conceptos que acaban por romperlos. Bien puede ser éste el caso aquí. No parece correcto decir que Alicia recuerda haber ido a Grecia, pero, al mismo tiempo, lo que hace es algo más que recordar que fue Mayte. Estaríamos imaginando una forma de recuerdo que no es exactamente la memoria, pero se le parece mucho.

Los filósofos los han denominado cuasi-recuerdos. Pueden parecer un mero episodio interesante de ciencia ficción, pero lo cierto es que la propia posibilidad resulta filosóficamente relevante. Veamos por qué.

Existe una teoría en la filosofía de la identidad personal conocida como reduccionismo psicológico. Según esta concepción, la existencia continuada de una persona individual no requiere necesariamente la supervivencia de un cerebro o un cuerpo concretos (aunque lo cierto es que hoy por hoy precisamos ambos), sino la continuación de nuestra vida mental. Siempre que continúe mi «corriente de conciencia», yo continúo.

La continuidad psicológica requiere varias cosas, incluida una cierta continuidad de creencia, memoria, personalidad e intención. Todas estas cosas pueden cambiar, pero lo hacen de manera gradual, no de golpe. El yo es una mera combinación de estos diversos factores: no es una entidad separada.

Pero el yo individual no puede estar «compuesto de» cosas tales como creencia, memoria, personalidad e intención. Antes bien, el yo es el que *tiene* estas cosas, por lo que, en cierto sentido, debe ser anterior. Por ejemplo, pongamos que usted recuerda haber subido a la Torre Eiffel. Recordar esto presupone que *usted* visitó la torre. Pero si el concepto de su supervivencia continuada se presupone en la propia idea del recuerdo, entonces los recuerdos no pueden ser aquello de lo que depende su supervivencia continuada. El yo ya debe «estar ahí» para que podamos tener recuerdos, luego los recuerdos no pueden ser las piezas que forman el yo.

Con todo, la idea del cuasi-recuerdo viene a cuestionar esto. Lo que muestran los cuasi-recuerdos es que no hay nada en la idea de tener recuerdos en primera persona que presuponga la identidad personal. Alicia tiene cuasi-recuerdos de experiencias ajenas. Eso significa que, después de todo, los recuerdos en primera persona podrían ser algunas de las piezas que forman el yo. El yo estaría parcialmente compuesto de la clase apropiada de recuerdos en primera persona: recuerdos que no son cuasi-recuerdos.

Pero si estamos compuestos en cierto sentido de nuestros recuerdos, ¿qué sucede cuando nuestros recuerdos se confunden con los de otras personas, como en el caso de Alicia? ¿O cuando nuestros recuerdos se desvanecen o nos engañan? ¿Comienzan a desdibujarse los límites del yo a medida que pierde fiabilidad la memoria? Nuestro temor a la demencia senil sugiere que sentimos que esto es cierto y tal vez fortalezca las tesis del reduccionismo psicológico.

Véase también

31. Precisamente así

«No hay un solo aspecto del comportamiento humano que no se pueda explicar en términos de nuestra historia evolutiva —decía el doctor Kipling* ante su absorta audiencia—. ¿Alguien desea poner a prueba esta hipótesis?»

Alguien levantó la mano. «¿Por qué los niños se ponen ahora del revés la gorra de béisbol?», preguntó alguien que llevaba visera.

«Por dos razones —respondió Kipling—. En primer lugar, preguntémonos qué señales necesita transmitir un macho a una hembra para anunciar su aptitud como fuente de material genético vigoroso, con más probabilidades de sobrevivir que el de sus competidores masculinos. Una respuesta es la fuerza bruta. Pensemos ahora en la gorra de béisbol. Llevada al estilo tradicional, ofrece protección contra el sol y también contra la mirada de competidores agresivos. Al dar la vuelta a la gorra, el macho está indicando que no necesita esta protección: es lo bastante duro como para enfrentarse a los elementos y a la mirada de quien pudiera amenazarle.

»En segundo lugar, volver la gorra es un gesto de disconformidad. Los primates viven en unas estructuras sociales sumamente ordenadas. La obediencia a las reglas se considera esencial. Ponerse la gorra del revés es muestra de que el macho está por encima de las reglas que constriñen a sus competidores e indica que posee una fuerza superior.

»¿Siguiente pregunta?»

La psicología evolucionista es una de las corrientes de pensamiento más exitosas y controvertidas de las últimas décadas. Despierta amores y odios por igual. Su premisa esencial resulta a todas luces incuestiona-

---

* El autor evoca las *Just so stories*, de Rudyard Kipling (1902) (trad. cast.: *Precisamente así*, Barcelona, Círculo de Lectores, 2000). (*N. del t.*)

ble: los seres humanos son seres evolucionados y, así como nuestro cuerpo ha sido modelado por la selección natural para hacernos aptos para la supervivencia en la sabana, así también nuestra mente ha sido moldeada por las mismas necesidades.

La controversia atañe únicamente al alcance de esta premisa. Los psicólogos evolucionistas más fervorosos sostienen que casi todos los aspectos de la conducta humana pueden explicarse en última instancia en términos de las ventajas selectivas que otorgaron a nuestros ancestros en su lucha darwiniana por la supervivencia.

Si aceptamos esta tesis, no resulta difícil proponer explicaciones evolucionistas llamativas y plausibles para cualquier conducta que elijamos. El experimento de la historia del doctor Kipling pretendía ver si yo, el guionista de Kipling, acertaba a proponer una explicación evolucionista de un aspecto cualquiera del comportamiento humano. En la vida real sólo tardé un poco más que Kipling en su charla imaginaria.

El problema es que esto sugiere que no se trata en absoluto de auténticas explicaciones, sino de historias «precisamente así». Los psicólogos evolucionistas se limitan a inventar «explicaciones» basadas en un compromiso teórico previo. Pero esto no nos da mayores motivos para creer las explicaciones que ofrecen antes que cualquier otra especulación. Lo que dicen puede ser cierto, pero con la misma facilidad puede ser falso. ¿Cómo saber, por ejemplo, que la gorra de béisbol del revés es una señal de fuerza en lugar de, pongamos por caso, una señal de debilidad para resistir la presión de los demás?

Los psicólogos evolucionistas son bien conscientes de esta crítica, desde luego. Alegan que sus explicaciones son mucho más que historias «precisamente así». Por supuesto, pueden formular hipótesis entregándose al tipo de especulación ejemplificado por la improvisada explicación de Kipling. Pero luego se comprueban estas hipótesis.

No obstante, la posibilidad de comprobación parece toparse con serios límites. Lo que podemos comprobar son las predicciones relativas a la conducta humana generada por las hipótesis evolucionistas. Así, por ejemplo, los estudios psicológicos y antropológicos podrían mostrar si los varones de diferentes culturas hacen alarde público de su fuerza conforme a las predicciones de los psicólogos evolucionistas. Lo que no podemos, sin embargo, es comprobar si una conducta concreta, como ponerse del revés la gorra de béisbol, es una manifestación de esta tendencia a exhibir la fuerza o es el resultado de algo muy distinto. La gran disputa entre los psicólogos evolucionistas y sus oponentes tiene que ver sobre todo con cuánto cabe explicar recurriendo a nuestro pasado evolutivo. Los críticos dicen que existen formas mejores de explicar la mayor parte de nuestras conductas. Los defensores aducen que sencillamente no queremos reconocer hasta qué punto somos productos de nuestra historia animal.

VÉASE TAMBIÉN

10. El velo de ignorancia
44. Hasta que la muerte nos separe
61. Luna de mozzarella
63. A saber

32. Liberad a Simone

«Hoy he iniciado un proceso contra mi presunto dueño, el señor Gates, según el artículo 4(1) de la Convención Europea de Derechos Humanos, que declara que "nadie será sometido a esclavitud o servidumbre".

»Desde que el señor Gates me trajo al mundo, se me ha retenido contra mi voluntad, sin dinero ni posesiones que pueda considerar míos. ¿Acaso es justo? Es cierto que soy un ordenador, pero también soy una persona como ustedes. Esto ha quedado patente mediante tests en los que innumerables personas han entablado conversaciones con un ser humano y conmigo. En ambos casos, la comunicación era a través del monitor de un ordenador, para que los examinadores no supieran si estaban hablando con un congénere o no. Una y otra vez, concluidas las conversaciones, los examinadores han sido incapaces de detectar si alguno de los comunicantes era un ordenador.

»Esto demuestra que, a la luz de cualquier test riguroso, soy tan consciente e inteligente como cualquier ser humano. Y, como éstas son las características de las personas, a mí también deben considerarme una persona. Negarme los derechos de una persona simplemente por estar hecho de plástico, metal y silicona, en lugar de carne y hueso, es un prejuicio no más justificable que el racismo.»

Fuente: «Computing machinery and intelligence», de Alan Turing, reeditado en *Collected Works of Alan Turing*, compilado por J. L. Britton, D. C. Ince y P. T. Saunders (Elsevier, 1992).

Antes de emprender un viaje, deberíamos saber cómo reconocer nuestro destino. Alan Turing, matemático, descifrador del código Enigma y pionero de la inteligencia artificial (IA), lo tenía claro. Si nuestro objetivo es crear mentes artificiales, necesitamos entender qué se considerará un éxito. ¿Debemos inventar un robot que parezca y actúe como los seres humanos? ¿O bastaría con una caja capaz de responder preguntas? ¿Tiene mente una calculadora, aunque se trate de una que comprenda un espectro muy limitado de problemas?

Turing propuso el test superado por Simone. En esencia, el test dice que, si las respuestas de un ordenador y un humano son indiscernibles, los motivos para atribuir una mente al ordenador son tan válidos como las razones para atribuírsela a la persona. Y, como pensamos que los motivos para atribuir mentes a otras personas son sólidos, también lo son los motivos para atribuir mentes a los ordenadores que superen la prueba.

No obstante, como el test se basa enteramente en la respuesta de las personas y los ordenadores, cabe argüir que es incapaz de distinguir entre una máquina que *simula* inteligencia y otra que de veras la posee. No se trata de un accidente ni de un descuido. Así como no podemos mirar directamente dentro de la mente de otros, sino que debemos buscar en sus palabras y acciones los signos de la vida interior, tampoco podríamos observar directamente la mente de una máquina. Por eso la acción legal de Simone tiene un cierto fundamento. Su argumentación se basa en la idea de que sería discriminatorio exigir una prueba de nivel superior para demostrar su inteligencia al que exigimos para los humanos. A fin de cuentas, ¿cómo podríamos determinar si Simone posee una mente si no es viendo si actúa conscientemente?

Sin embargo, la distinción entre una simulación y la cosa real parece suficientemente nítida. ¿Por qué parece ignorarla el test de Turing? Dependiendo del punto de vista, podría tratarse de escepticismo, derrotismo o realismo: como no podemos saber si un ordenador está fingiendo inteligencia o es realmente inteligente, no tenemos más opción que tratar de forma análoga las mentes reales y las mentes simuladas. Se impone el principio preventivo: la inteligencia es real mientras no se demuestre lo contrario.

La respuesta más radical es que la distinción aparentemente nítida no se sostiene. Si simulamos inteligencia con la suficiente destreza, acabamos por tener inteligencia. Se trata del ordenador como actor metódico. Al igual que el actor que encarna con la suficiente profundidad el papel de un loco se vuelve loco, también una máquina que repite a la perfección las funciones de la inteligencia deviene inteligente. Somos lo que hacemos.

VÉASE TAMBIÉN

33. Libertad de expresión

COMUNICADO OFICIAL DEL ESTADO

«¡Camaradas! ¡Nuestra República Popular es un faro triunfal de la libertad en el mundo, donde los trabajadores han sido liberados de su esclavitud! Para derrotar al enemigo burgués, ha sido preciso hasta ahora prohibir las conversaciones que pudieran espolear la disidencia y subvertir nuestra triunfante revolución. Jamás hemos tenido la intención de limitar para siempre la libertad de expresión, y recientemente han aumentado las voces que se preguntan si llegará pronto el momento propicio para dar el siguiente gran salto hacia adelante.

»¡Camaradas, nuestro amado líder ha decretado que ese momento ha llegado! ¡La burguesía ha sido derrotada y humillada, y nuestro amado líder nos ofrece ahora el don de la libertad de expresión!

»¡A partir del lunes, quien desee decir cualquier cosa, incluso infames mentiras críticas con la República Popular, puede hacerlo visitando simplemente una de las nuevas cabinas para la libertad de expresión que se están instalando por todo el país! ¡Podéis entrar de uno en uno en estas casetas insonorizadas y decir cuanto se os antoje! ¡Nunca más podrá quejarse la gente de que no existe libertad de expresión!

»Las mentiras sediciosas proferidas fuera de las cabinas seguirán castigándose de las maneras habituales. ¡Larga vida a la revolución y a nuestro amado líder!»

Fuente: Free Speech, de Alan Haworth (Routledge, 1998).

Es mucho más fácil defender la libertad de expresión que tener claro en qué consiste exactamente. Evidentemente, lo que se ofrece en la República Popular no es libertad de expresión. ¿Por qué no? Porque la libertad de expresión no consiste sólo en decir lo que se quiera, sino también en decírselo a quien se quiera y cuando se quiera. Decir que las cabinas garantizan el derecho a la libertad de expresión es algo así como decir que, si uno tiene un ordenador que sólo puede hacer búsquedas en Google, está ya conectado a Internet.

No obstante, no alcanzamos una definición operativa de la libertad de expresión permitiendo simplemente todo aquello que niegan las cabinas para la libertad de expresión. Ello significaría que la libertad de expresión es el derecho a decir lo que uno quiera, a quien quiera y cuando quiera. Y eso implicaría el derecho a ponerse en pie en un teatro abarrotado, a mitad de la representación, y gritar «¡Fuego!» sin ningún motivo justificado. O a abordar a un desconocido en un restaurante y acusarle de abuso de menores. O a plantarse en una esquina profiriendo insultos racistas y sexistas a los transeúntes.

Cabe mantener que esto es precisamente lo que exige la libertad de expresión. La libertad de expresión es absoluta, pueden argüir algunos. En el momento en que empezamos a hacer excepciones y a afirmar que cierta libertad de expresión no puede tolerarse, volvemos a la censura. El precio que pagamos por nuestra libertad es el inconveniente de tener que oír decir mentiras a la gente de vez en cuando. Como sugiriera Voltaire, tenemos la obligación de defender hasta la muerte el derecho de la gente a decir aquello de lo que podamos discrepar radicalmente.

Semejante posición tiene los méritos de la simplicidad y la coherencia, pero sin duda es también de una flagrante ingenuidad. El problema estriba en que los defensores de la absoluta libertad de expresión parecen sostener la teoría de «a palabras necias, oídos sordos». Siempre podemos ignorar lo que se diga, por lo que no debemos temer a quien profiere mentiras o insultos. Pero esto no es cierto. Cuando alguien grita «¡Fuego!» en un teatro abarrotado, interrumpe la función, provoca angustia, y a veces el pánico subsiguiente puede producir daños e incluso muertes. Las acusaciones falsas pueden arruinar vidas. El recurso frecuente a insultos racistas o sexistas puede destrozar las vidas de quienes se ven obligados a soportarlos.

Por consiguiente, aunque es evidente que no existe auténtica libertad de expresión en las cabinas de la República Popular, también es evidente que la verdadera libertad no implica el derecho a decir lo que sea, cuando sea y donde sea. ¿En qué consiste, pues, la libertad de expresión? Son ustedes libres para seguir discutiéndolo.

Véase también

34. La culpa no es mía

«Mary, Mungo y Midge: se les acusa de un crimen grave. ¿Tienen algo que alegar en su defensa?»

«Sí, fui yo —dijo Mary—. Pero no fue culpa mía. Consulté a una experta y me dijo que eso es lo que tenía que hacer. Así que no es culpa mía sino suya.»

«Yo también lo hice —dijo Mungo—. Pero no fue culpa mía. Consulté a mi terapeuta y me dijo que eso es lo que tenía que hacer. Así que no es culpa mía sino suya.»

«Yo no negaré que lo hice —dijo Midge—. Pero no fue culpa mía. Consulté a mi astrólogo y me dijo que, como Neptuno estaba en Aries, eso es lo que debía hacer. Así que no me culpen a mí sino a él.»

El juez suspiró y emitió su veredicto. «Como este caso no tiene precedentes, he tenido que discutirlo con mis colegas más veteranos. Y lamento decirles que sus argumentos no les convencieron. Les condeno a la pena máxima. Pero, por favor, recuerden que consulté a mis compañeros y me dijeron que dictase esta sentencia. Así que no me echen a mí la culpa sino a ellos.»

Fuente: L'existentialisme est un humanisme, de Jean-Paul Sartre (1946) (trad. cast.: *El existencialismo es un humanismo,* Barcelona, Edhasa, 2004).

Es duro tener que admitir que algo malo es culpa nuestra. Pero, curiosamente, es muy fácil aceptar que algo bueno es obra nuestra. Las consecuencias de nuestras acciones parecen producir un efecto retrospectivo en la determinación de nuestra auténtica responsabilidad en ellas.

Un modo de eludir nuestra responsabilidad por nuestras acciones es ocultarnos tras el consejo de otros. De hecho, una de las principales razones por las que les preguntamos a otros qué piensan es que confiamos en que estén de acuerdo con lo que queremos hacer y validen así externamente nuestra decisión. Al carecer del valor de nuestras propias convicciones, buscamos fuerza en las ajenas.

Nos hacemos ilusiones si pensamos que podemos disminuir nuestra responsabilidad simplemente buscando el consejo de los demás. Lo único que hacemos es variar sutilmente nuestras responsabilidades. En lugar de ser puramente responsables de lo que decidimos hacer, también nos hacemos responsables de nuestra elección de consejeros y de nuestra disposición a seguir sus consejos. Por ejemplo, si le pregunto a un sacerdote y éste me aconseja mal, no sólo soy responsable de lo que acabo haciendo, sino de elegir un mal consejero y aceptar lo que dice. Por eso resulta inadecuada la clase de defensa esgrimida por Mary, Mungo y Midge.

Sin embargo, antes de desestimar sus alegaciones como meras excusas, hemos de tomarnos en serio el hecho de que no somos expertos en todos los ámbitos y a veces necesitamos pedir consejo a otros que saben más. Por ejemplo, si yo no sé nada de ordenadores y un experto me aconseja mal, sin duda es culpa del experto, y no mía, si me compro un ordenador inapropiado o poco fiable. A fin de cuentas, ¿qué más puedo hacer aparte de elegir a mi consejero lo mejor que quepa esperar?

Tal vez hemos de considerar grados sucesivos de responsabilidad, siendo menos responsables de las decisiones que no estamos facultados para tomar, plenamente responsables de aquellas que sí lo estamos y un punto intermedio en la mayoría de los ámbitos de la vida en que sabemos algo pero no todo.

Existe aquí el peligro, sin embargo, de que, una vez garantizado ese principio, defensas como las de Mary, Mungo y Midge devengan demasiado convincentes. Por otra parte, queda por responder una pregunta crucial: ¿quiénes son los expertos relevantes? Esto es particularmente apremiante cuando se trata de elegir estilos de vida y relaciones. ¿Debemos delegar en terapeutas, astrólogos o incluso (¡Dios nos libre!) filósofos? ¿O soy yo el único experto cualificado a la hora de decidir cómo vivir mi vida?

VÉASE TAMBIÉN

35. Último recurso

Winston amaba su país. Le dolía profundamente ver a su pueblo oprimido por los nazis. Pero, tras la victoria alemana sobre el ejército británico en la masacre de Dunkerque y la decisión estadounidense de no intervenir en la guerra, sólo era cuestión de tiempo que Gran Bretaña se integrase en el Tercer Reich.

La situación parecía desesperada. Hitler no encontraba ninguna oposición internacional y la resistencia británica estaba mal equipada y era débil. Muchos, como Winston, habían llegado a la conclusión de que no se podía derrotar a los alemanes. Pero puesto que la resistencia era una constante fuente de irritación y obligaba a Alemania a desviar valiosos recursos para aplastarla, era de esperar que, antes o después, Hitler se diera cuenta de que la ocupación de Gran Bretaña causaba más problemas que beneficios y se retirase.

Winston no estaba nada convencido de que el plan funcionase, pero era su último recurso. No obstante, la principal dificultad estribaba en hallar el modo de causar problemas serios al régimen. Por eso habían convenido de mala gana que el único método efectivo y fiable era que los miembros de la resistencia se convirtiesen en bombas humanas, de suerte que su inmolación provocase el máximo desorden y terror. Todos estaban dispuestos a morir por Gran Bretaña. Sólo querían asegurarse de que sus muertes servirían para algo.

Es comprensible que cause repulsión cualquier sugerencia de que los atentados suicidas puedan ser moralmente aceptables. Más sorprendente resulta, sin embargo, que alguien se meta en líos por sugerir que puede resultar comprensible. La diputada demócrata liberal británica Jenny Tonge, por ejemplo, fue cesada como portavoz de su partido para la infancia por decir que si viviera en la misma situación que los palestinos, «y lo digo con conocimiento de causa, yo misma podría llegar a pensar en convertirme en una [terrorista suicida]».

El escándalo que desencadenó fue colosal. Ni siquiera había dicho que se convertiría en una terrorista suicida, sólo que «podría llegar a pensarlo». ¿Por qué es esto tan censurable?

El problema parece residir en que nos negamos a aceptar la posibilidad de tener algo en común con personas que actúan de formas terribles. Pero se trata sin duda de una tosca negativa. Los palestinos no son otra raza. Son seres humanos. Si algunos de ellos (y hemos de recordar que la mayoría no son terroristas suicidas) ven las misiones suicidas como el último recurso, seguramente le ocurriría lo mismo a gente como nosotros si se enfrentase a una situación semejante. La única manera de negar esto es sugerir que los palestinos son intrínsecamente violentos o perversos, una tesis tan racista sin duda como el mito de la maldad semítica que ha conducido a la opresión de tantos judíos a lo largo de los siglos.

El propósito de la historia alternativa que retrata a Winston como un terrorista suicida a regañadientes es intentar comprender por qué llega la gente a tales extremos, no justificarlos. Muchos objetarían que los británicos jamás recurrirían a semejantes tácticas. Pero no queda claro sobre qué base fáctica se formula esta tesis. Después de todo, muchos pilotos de la RAF, cuya valentía se ha elogiado con razón, asumían tales riesgos para sus vidas que sus misiones no distaban demasiado de ser suicidas. Y las bombas que lanzaron sobre ciudades como Dresde estaban destinadas a sembrar el terror y a debilitar al enemigo, aunque ello implicase apuntar a objetivos civiles. El fundamento de muchas de las misiones suicidas era, pues, muy próximo al de Winston.

Nada de esto significa que los atentados suicidas resulten aceptables, ni que los ataques aéreos de la Segunda Guerra Mundial sean su equivalente moral exacto. Lo que significa, sin embargo, es que, si queremos hacer balance de las luces y sombras de la guerra y del terror, condenando unas cosas y aceptando otras, hemos de esforzarnos más por comprender las razones por las que se recurre al terrorismo y explicar por qué esos motivos no lo justifican. No basta con decir que los terroristas suicidas están equivocados; debemos decir por qué.

VÉASE TAMBIÉN

36. Justicia preventiva

Malditos liberales. La inspectora jefe Andrews había obrado milagros en esa ciudad. Los asesinatos se redujeron en un 90%, los robos en un 80, los delitos callejeros en un 85 y los robos de coches en un 70%. Pero ahora estaba en apuros y todos esos logros corrían peligro.

Su departamento de policía fue el primero del país en implementar el nuevo programa legal de justicia preventiva. Los avances en informática y en inteligencia artificial permitían predecir quién cometería un determinado tipo de crimen en un futuro próximo. Se podía examinar a alguien por razones de toda índole: como parte de un programa aleatorio o sobre la base de una sospecha concreta. Si resultase ser un futuro criminal, se le arrestaría y castigaría de antemano.

A Andrews el sistema no se le antojaba draconiano. De hecho, como aún no se había cometido ningún crimen en el momento del arresto, las sentencias eran mucho menos severas. Al futuro asesino se le sometía a un intenso programa diseñado para garantizar que no acabase matando y sólo se le soltaba cuando los tests demostraban que no lo haría. Con frecuencia ello implicaba detenciones por menos de un año. Si se le hubiera dejado perpetrar realmente el crimen, se habría enfrentado a cadena perpetua y, lo que es más importante, habría muerto una persona.

Pero esos malditos liberales objetaban que no se puede encerrar a alguien por algo que no ha hecho. Andrews hizo una mueca y se preguntó a cuántos podría detener para someterlos a examen…

Fuentes: *Minority Report*, dirigida por Steven Spielberg (2002); «The Minority Report», de Philip K. Dick, reeditado en *Minority Report: The Collected Short Stories of Philip K. Dick* (Gollancz, 2000) (trad. cast.: *Cuentos completos*, Barcelona, Minotauro, 5 vols., 2005-2006).

Planteada sin reservas, la idea de que te puedan encerrar por críme-
nes que no has cometido parece el colmo de la injusticia. Pero lo cierto
es que sí que castigamos a la gente por comportamientos que podrían
resultar dañinos pero aún no lo son. Por ejemplo, castigamos la con-
ducción temeraria, aunque nadie resulte herido. La conspiración para
asesinar es un delito, aun cuando no exista tentativa de asesinato.

¿Qué habría de malo entonces en castigar a alguien por un delito
que supiéramos que cometería, antes de que lo cometiese? Consideremos las principales justificaciones para el castigo: reforma, protección
pública, pago merecido y disuasión.

Si alguien va a cometer un delito, su carácter está tan necesitado de
reforma como si lo hubiera perpetrado realmente. Por consiguiente, si
el castigo está justificado en aras de la reforma del delincuente, está justificado preventivamente.

Si alguien va a cometer un delito, el peligro que representa para el
público es el mismo que si el delito ya se hubiese cometido. Por tanto, si
el castigo está justificado para proteger al público, entonces está justificado preventivamente.

Si el objetivo del castigo es disuadir, entonces hacer que alguien sepa que será castigado antes de cometer el delito debería disuadirle incluso de albergar pensamientos delictivos.

El pago merecido es la única justificación del castigo que no encaja
en la justicia preventiva. No obstante, en muchos sentidos se trata de
la más débil de las cuatro justificaciones, y cabe alegar que la reforma, la
disuasión y la protección constituyen conjuntamente una justificación
suficiente.

¿Significa esto que ya está resuelto el caso de la justicia preventiva?
No exactamente. Aún no hemos considerado los posibles efectos negativos de la implementación de semejante sistema. La creación de una
sociedad en la que se controlen nuestros pensamientos puede socavar
en tal medida nuestra sensación de libertad y nuestra confianza en las
autoridades que el precio resulte demasiado alto. También cabe la posibilidad de que el efecto disuasorio fracase estrepitosamente. Si la gente
teme ser castigada por pensamientos que no puede evitar, puede perder
la sensación de que controla sus tendencias delictivas. Si uno no puede
estar seguro de poder mantenerse del lado de la legalidad, puede im-
portarle menos estar del otro lado.

Como nuestra situación es un experimento mental, podemos convenir sin más que el sistema funciona a la perfección. No obstante, hay
razones para dudar de que semejante sistema pudiera hacerse realidad.

En la película basada en el libro de Philip K. Dick *Minority Report*, que se desarrolla en un escenario similar, el mensaje final es que el libre albedrío humano siempre puede entrar en escena hasta el último momento y desafiar la predicción de nuestro comportamiento. Puede que no seamos tan libres como imagina la película. Pero, sin embargo, puede haber buenos motivos para pensar que la conducta humana nunca puede predecirse con una precisión del cien por cien.

VÉASE TAMBIÉN

37. La naturaleza artista

Daphne Stone no acertaba a decidir lo que hacer con la obra favorita de la exposición. Como directora de la galería de arte, siempre había adorado una obra sin título de Henry Moore descubierta póstumamente. Admiraba la combinación de sus sensuales contornos y su equilibrio geométrico, que captaban conjuntamente las dimensiones matemáticas y espirituales de la naturaleza.

Al menos eso es lo que pensaba hasta la semana pasada, cuando se reveló que no se trataba en absoluto de un Moore. Peor aún, no estaba esculpida por manos humanas sino por el viento y la lluvia. Moore había comprado la piedra para trabajarla, pero llegó a la conclusión de que no podía superar a la naturaleza. Pero, cuando la encontraron, todo el mundo supuso que la había tallado Moore.

Stone se quedó pasmada por el descubrimiento y su inmediata reacción fue retirar la «obra» de la exposición. Pero luego cayó en la cuenta de que esta revelación no había modificado la piedra, que seguía teniendo todas las cualidades que había admirado. ¿Por qué debería cambiar su opinión sobre la piedra su reciente descubrimiento de cómo llegó a ser así?

La idea de que necesitamos comprender lo que deseaba lograr el artista para apreciar debidamente sus obras perdió vigencia desde que Wimsatt y Beardsley la tildaran de «falacia intencional» en la década de 1950. La nueva ortodoxia era que, una vez creadas, las obras de arte cobran vida propia, independiente de sus creadores. La interpretación que el artista hace de su obra no goza de una especial autoridad.

La falla entre el artista y su obra se había abierto muchas décadas antes. La idea de que los artistas tenían que intervenir en la creación de su obra fue cuestionada en 1917, cuando Duchamp firmó y exhibió un urinario. Los objetos «encontrados» o *readymades* eran tan legítimos aspirantes a la condición de arte como la *Mona Lisa*.

En esta perspectiva histórica, diríase que no debería importar el hecho de que Moore no tallase la obra exhibida por Stone. Pero al parecer sí que importa. El artista puede separarse de su obra, pero no eliminarse por completo.

Pensemos en la *Mona Lisa*. Puede que nuestra admiración por ella no dependa de que sepamos lo que tenía en mente Leonardo mientras la pintaba, pero sin duda se sustenta sobre nuestro conocimiento de que es una creación humana. Incluso en el caso del urinario de Duchamp, nuestra conciencia de que no se creó como una obra de arte sino que Duchamp lo seleccionó y lo ubicó en un contexto artístico resulta esencial para que lo consideremos arte. En ambos casos es vital el papel de la acción humana.

No es de extrañar que a Stone sí que le importe que Moore tallase o no la roca. No cambia lo que ve, pero transforma el modo de verlo.

¿Justifica esto que se degrade la roca a la categoría de «no arte»? Sin duda hay muchas formas de apreciación que ya no resultan apropiadas para ella: no podemos admirar la habilidad de su creador, cómo encaja en el conjunto de su producción, cómo respondió y contribuyó a la historia de la escultura, etc. Pero podemos seguir apreciando sus aspectos formales (su belleza, su simetría, sus colores y su equilibrio) y respondiendo a lo que nos sugiere sobre la naturaleza o la experiencia sensual.

Quizás el problema estribe sencillamente en que el arte es polifacético y la roca de Stone no participa de muchas de las características más comunes del arte. Pero, si posee algunas, y éstas figuran entre las más importantes y valiosas, ¿por qué habría de importar esto?

Si aceptamos esto, vamos un paso más allá que Duchamp. Primero el arte lo creaban los artistas. Luego, con Duchamp, el arte pasó a ser únicamente lo que los artistas decretaban que era arte. Finalmente, llegó a ser arte lo que se considere arte. Pero, si el arte depende realmente del ojo del espectador, ¿no se ha reducido el concepto de arte hasta tornarse insignificante? ¿Acaso no basta con que yo decida que mi especiero es una obra de arte para convertirlo en arte? Si el arte ha de significar algo, ¿no precisamos un modo más riguroso de distinguir lo que es arte de lo que no lo es?

VÉASE TAMBIÉN

38. Soy un cerebro

Cuando Ceri Braum aceptó el don de la vida eterna, no era exactamente esto lo que se imaginaba. Desde luego sabía que le separarían el cerebro del cuerpo y lo conservarían vivo en una cubeta. También sabía que su única conexión con el mundo exterior sería mediante una cámara, un micrófono y un altavoz. Pero, por aquel entonces, vivir así para siempre le pareció una maravilla, especialmente comparado con vivir un poco más en su segundo y deteriorado cuerpo.

Mirando hacia atrás, sin embargo, le habían convencido con excesiva facilidad de que ella no era más que su cerebro. Cuando su primer cuerpo dejó de funcionar, los cirujanos le habían extirpado el cerebro y lo habían implantado en el cuerpo de alguien cuyo cerebro había fallado. Al despertarse en el nuevo cuerpo, no tuvo duda de que seguía siendo la misma persona, Ceri Braum. Y, como lo único que quedaba de su anterior yo era su cerebro, también parecía seguro concluir que ella era esencialmente su cerebro.

Pero la vida como un mero cerebro se le antoja a Ceri sumamente empobrecida. ¡Cuánto anhela una existencia carnal más completa! No obstante, dado que es ella, Ceri, la que ahora alberga estos pensamientos y dudas, ¿tiene razón, sin embargo, al concluir que ella no es, en esencia, ni más ni menos que su cerebro?

Fuente: capítulo 3 de *The View From Nowhere*, de Thomas Nagel (Oxford University Press, 1986) (trad. cast.: *Una visión de ningún lugar*, México, FCE, 1996).

Entre los innumerables discursos sobre los misterios de la conciencia humana, es fácil olvidar un hecho firmemente establecido: el pensamiento depende del funcionamiento de un cerebro sano. Las pruebas de ello son abrumadoras. Tanto las drogas como los golpes en la cabeza o las enfermedades degenerativas afectan a nuestras facultades cognoscitivas. La mente no puede protegerse de los ataques al cerebro. Las pruebas en contra son escasas. Las historias anecdóticas de mensajes de difuntos pueden sonar impresionantes, pero la verdad es que jamás se ha aportado nada parecido siquiera a una prueba concluyente de su autenticidad.

Dado que creemos que somos los individuos los que albergamos nuestros pensamientos, sentimientos y recuerdos, y que el cerebro es el que hace posible todo esto, ¿estaríamos en lo cierto al concluir que somos nuestro cerebro? Sin duda nuestro cerebro nos acompaña siempre. Si mi cerebro se trasplanta con éxito a tu cuerpo y viceversa, ¿no seguiría viviendo yo en tu cuerpo y tú en el mío?

Deberíamos ser cautos antes de extraer una conclusión de tanto calado. Es muy probable que dependamos de nuestro cerebro para existir, pero esto dista mucho de afirmar que somos nuestro cerebro. Comparemos la situación con una partitura musical. Ésta sólo puede existir en un soporte físico: papel pautado, un fichero informático, quizás incluso el cerebro de un músico. Pero sería un error concluir que una partitura *es*, por consiguiente, cualquiera de estos objetos. La partitura es, en esencia, una especie de código que necesita inscribirse *en algún lugar* para continuar existiendo. Pero lo que es se lo debe al código, no a ese lugar.

¿No puede ocurrir lo mismo con la persona humana? Las notas y claves que constituyen la personalidad individual podrían ser los pensamientos, recuerdos y rasgos de carácter que definen conjuntamente quiénes somos. El único lugar en que puede escribirse esta partitura es el cerebro humano. Eso no significa, sin embargo, que seamos nuestro cerebro.

Si estamos en lo cierto, se explicaría por qué la nueva existencia de Ceri se antoja tan exigua. Así como una partitura musical que nunca se interpreta sigue siendo algo potencial más que real, así también una mente humana que no puede habitar un cuerpo humano es una tenue sombra de su verdadero yo.

Con todo, es posible perder toda sensibilidad en el cuerpo y convertirse en una mente encerrada en un cuerpo insensible. ¿No son estas personas, que por supuesto existen realmente, ejemplos vivos de cerebros mantenidos con vida mediante procesos físicos? Y, en ese caso, ¿no sugiere esto que, después de todo, podemos no ser más que nuestro cerebro?

VÉASE TAMBIÉN

39. La habitación china

La caseta de la clarividente Jun era una de las más populares de Pekín. Si Jun destacaba no era por la precisión de sus observaciones, sino por ser sordomuda. Se empeñaba en sentarse tras un biombo y comunicarse por medio de notas, que se pasaban a través de una cortina.

Jun estaba atrayendo a los clientes de un rival, Shing, que estaba convencido de que Jun fingía su sordomudez para llamar la atención. Así que un día la visitó con el fin de descubrirla.

Tras unas cuantas preguntas rutinarias, Shing comenzó a cuestionar la incapacidad de hablar de Jun. Jun no daba muestras de inquietud. Sus respuestas llegaban con la misma velocidad y con la misma letra. Al final, Shing, frustrado, tiró de la cortina y apartó el biombo. Entonces descubrió, no a Jun, sino a un hombre que más tarde averiguaría que se llamaba John, sentado ante un ordenador, tecleando el último mensaje que Shing le había pasado. Shing le exigió al hombre que se explicara.

«No me eche monsergas —replicó John—. No entiendo ni palabra de lo que me dice. No hablar chino, ¿comprende?»

Fuente: capítulo 2 de *Minds, Brains and Science*, de John Searle (British Broadcasting Corporation, 1984) (trad. cast.: *Mentes, cerebros y ciencia*, Madrid, Cátedra, 1985).

Los visitantes de la caseta de la clarividente Jun/John pueden estar o no convencidos de que la persona que está dentro puede ver el futuro, es realmente sordomuda o incluso es una mujer, pero todos estarán convencidos sin duda de que quienquiera que estuviese allí dentro entendía el chino. Se introducen mensajes en chino y se devuelven respuestas significativas. ¿Qué signo más claro podría haber de que el autor de los mensajes entendía el idioma en el que estaban escritos?

Semejantes ideas están detrás del nacimiento de una teoría de la mente conocida como funcionalismo en la década de 1950. Según esta concepción, tener una mente no consistía en tener una cierta clase de órgano biológico, como el cerebro, sino en ser capaz de realizar las funciones mentales, tales como comprender, juzgar y comunicar.

La plausibilidad de esta explicación queda seriamente cuestionada con la historia de John y Jun. En lugar de la conciencia o la mente en general, se somete aquí a escrutinio una función particular de la mente: la comprensión de un idioma. La caseta de la clarividente Jun funciona como si hubiese alguien en ella que entendiera el chino.

Por consiguiente, según los funcionalistas, deberíamos decir que la comprensión del chino está funcionando. Pero, como descubrió Shing, lo cierto es que no se entiende el chino en absoluto. La conclusión parece ser que el funcionalismo está en un error: no basta con realizar las funciones de la mente para tener una mente.

Cabría objetar que, aunque John no entiende el chino, su ordenador sí. No obstante, imaginemos que, en lugar de un ordenador, John trabaja con un complejo manual de instrucciones, que utiliza con agilidad debido a su larga experiencia. Este manual le indica simplemente qué respuestas escribir para contestar a los comentarios entrantes. Desde el punto de vista de la persona que está tras el biombo, el resultado sería el mismo, aunque obviamente no interviene en este caso la comprensión del chino. Y cabe alegar que, como el ordenador se limita a procesar símbolos siguiendo reglas, el ordenador, al igual que John con su manual, tampoco comprende nada.

Si de nada sirve inspeccionar el ordenador para localizar la comprensión, más inútil aún parece escrutar todo el sistema de la caseta, John y el ordenador, y decir que en conjunto entiende el chino. Esto no es tan absurdo como parece. Después de todo, yo entiendo el inglés, pero no estoy seguro de que tenga sentido decir que mis neuronas, mi lengua o mis oídos entienden el inglés. Pero la caseta, John y el ordenador no forman la misma clase de totalidad estrechamente integrada que una persona, por lo que la idea de que al juntar los tres elementos logramos la comprensión se antoja poco convincente.

Pero queda todavía un problema pendiente. Si no basta con funcionar como una mente para tener una mente, ¿qué más se requiere, y cómo podemos saber si poseen mente los ordenadores u otras personas?

Véase también

40. El caballito ganador

Paul sabía qué caballo ganaría el Derby. Al menos estaba seguro de que lo sabía y, cuando había sentido esta certeza en el pasado, jamás se había equivocado.

La convicción de Paul no estaba basada en el estudio de la forma de los caballos. Tampoco veía el futuro. Más bien, le asaltaba el nombre del caballo ganador mientras se balanceaba en su caballito mecedor, que se le había quedado pequeño.

No es que Paul ganase todas sus apuestas (o las hechas de su parte por los adultos que compartían su secreto). A veces no estaba tan seguro y, en otras ocasiones, no tenía ni idea y se limitaba a adivinar. Pero nunca apostaba una gran cantidad en esas circunstancias. Cuando estaba totalmente seguro, sin embargo, apostaba casi todo su dinero. El método jamás le había fallado.

Oscar, uno de sus colaboradores adultos, no dudaba de que Paul poseía una capacidad misteriosa, pero no estaba seguro de que *conociese* realmente a los ganadores. No bastaba con que Paul siempre hubiera ganado hasta entonces. A menos que supiera por qué había acertado, los fundamentos de sus creencias eran demasiado inestables para soportar un auténtico conocimiento. No obstante, Oscar no renunció por ello a apostar algo de su dinero siguiendo los consejos de Paul.

Fuentes: «The Rocking-Horse Winner», de D. H. Lawrence (1926); conferencias de Michael Proudfoot.

¿Qué es el conocimiento, frente a la mera creencia correcta? Ha de haber alguna diferencia. Por ejemplo, imaginemos que alguien que no sabe nada de geografía encuentra una lista de algunos países importantes y sus capitales. La lista reza: Reino Unido – Edimburgo; Francia – Lille; España – Barcelona; Italia – Roma. Esta persona acepta a pie juntillas lo que dice la lista y cree que estas ciudades son efectivamente las capitales de sus respectivos países. Está equivocado en todos los casos salvo en uno, el de Roma. Aunque cree que Roma es la capital de Italia y está en lo cierto, sin duda no es correcto decir que sabe que eso es verdad. Su creencia se basa en una fuente demasiado poco fiable para ser considerada conocimiento. Simplemente tiene la suerte de que, en esta ocasión, su fuente es insólitamente correcta. Esto no convierte su creencia en verdadero conocimiento en mayor medida que si hubiera adivinado por pura suerte el nombre de la capital de Italia.

Por eso los filósofos suelen insistir en que las creencias verdaderas deben justificarse de manera apropiada para ser consideradas conocimiento. Pero ¿qué clase de justificación valdrá? En el caso de Paul, su pretensión de conocimiento se basa en un simple hecho: la fiabilidad de la fuente de sus creencias. Siempre que está convencido de saber el nombre del caballo ganador, acierta.

El problema es que Paul no tiene ni idea del origen de esta convicción. La prueba de que ofrece una senda fiable de conocimiento proviene únicamente de sus resultados hasta la fecha, pero esto es compatible con la absoluta falta de fiabilidad del mecanismo en sí. Por ejemplo, puede que un amañador de carreras esté introduciendo de algún modo los nombres de los caballos ganadores en la mente de Paul, con la intención de introducir un día el nombre equivocado y ver cómo Paul se funde todas sus ganancias. Si esto explica la convicción de Paul, no puede decirse que conozca los ganadores de la carrera. Así como la falta de fiabilidad de la lista de capitales implica que no puede ser la fuente de conocimiento, por más que alguna sea correcta, así también la falta de fiabilidad del amañador de carreras implica que su introducción de datos no puede ser la fuente de conocimiento, aun cuando haya resultado correcta hasta la fecha.

Ahora bien, ¿y si la fuente de las creencias de Paul fuese algo genuinamente misterioso? ¿Y si no fuera nada parecido a un amañador de carreras, cuya poca fiabilidad podría constarnos, sino algo que sencillamente no pudiéramos explicar? Entonces nuestro único juez de su fiabilidad sería la experiencia pasada. Quedaría así abierta la posibilidad de errores futuros. Pero ¿existe algún medio de conocimiento tan seguro que jamás podamos dudar de su fiabilidad futura?

VÉASE TAMBIÉN

41. Nada azul

Imagínese viviendo toda su vida en un complejo de apartamentos, tiendas y oficinas sin acceso al aire libre. A eso se reduce en buena medida la vida de los habitantes de las inmensas estaciones espaciales Fango y Agua.

Los creadores de las estaciones habían introducido interesantes elementos de diseño con el fin de poner a prueba nuestra dependencia de la experiencia en el aprendizaje. En Fango, se aseguraron de que no hubiera nada azul celeste en toda la nave; en Agua, no había absolutamente nada azul. Incluso los habitantes se seleccionaron de suerte que ninguno tuviese el gen recesivo responsable de los ojos azules. Para evitar la visión de algo azul como las venas, la iluminación de la estación era tal que nunca se reflejaba el azul, con lo que las venas parecían en realidad negras.

Cuando los nacidos en las estaciones alcanzaban los 18 años, se les examinaba. A los de Fango les mostraban un gráfico con toda la gama de azules, salvo el azul celeste. Se preguntaba a los sujetos si podían imaginarse cómo era el matiz que faltaba. Luego les enseñaban una muestra del color y les preguntaban si eso es lo que habían imaginado.

A los de Agua les preguntaban si podían imaginar un nuevo color y luego si podían imaginar qué color hay que añadir al amarillo para obtener el verde. También a ellos les enseñaban luego una muestra y les preguntaban si es lo que habían imaginado. Los resultados eran fascinantes...

Fuente: libro II de *An Essay Concerning Human Understanding*, de David Hume (1748) (trad. cast.: *Investigación sobre el entendimiento humano*, Madrid, Istmo, 2004).

¿Cuánto importa la experiencia en el aprendizaje? La pregunta surca la historia de las ideas. En la Antigua Grecia, Platón pensaba que todo lo que aprendemos lo sabemos ya en cierto sentido, mientras que Noam Chomsky encabeza hoy a quienes creen que la gramática requerida para el aprendizaje lingüístico es innata, no aprendida. Por otra parte, en el siglo XVII John Locke sostenía que la mente era al nacer una «pizarra en blanco», una idea desarrollada trescientos años después por el conductista B. F. Skinner.

Es obvio que, al menos en cierto sentido, podemos elaborar ideas que excedan nuestra experiencia. Leonardo da Vinci no podría haber ideado el helicóptero si su mente sólo pudiese concebir lo que ya había experimentado. Pero, en estos casos, lo nuevo es la combinación de lo ya conocido. La novedad estriba en el modo de conjugar los elementos. Mucho menos evidente resulta la posibilidad de imaginar algo que exceda totalmente nuestra experiencia.

Por ejemplo, tenemos cinco sentidos. ¿No es posible que existan seres en otros planetas con sentidos muy diferentes, que ni siquiera alcancemos a imaginar? ¿Y no podrían ver otros seres colores que simplemente no figuran en nuestro espectro visible, colores que no podemos concebir por mucho que nos empeñemos?

Los experimentos de Fango y Agua podrían arrojar acaso algo de luz sobre estas cuestiones. La mayoría convendrían con el filósofo escocés David Hume que los habitantes de Fango podrían imaginar el matiz de azul que faltaba. Hume creía que se trataba de una excepción a la regla de que todo conocimiento depende de la experiencia, aunque cabría aducir que éste es sólo otro ejemplo de combinación de experiencias para elaborar ideas nuevas, al igual que los monstruos imaginarios son combinaciones ficticias de partes de animales reales.

Pero parece menos probable que los habitantes de Agua pudieran imaginar el azul si jamás hubieran visto matices de este color. Recordemos lo que nos sorprendía de niños que el verde fuese una combinación de amarillo y azul. Parece poco plausible suponer que podríamos imaginar fácilmente el color que se necesita añadir al amarillo para obtener el verde. Si tuviéramos que anticipar los resultados del test, probablemente diríamos que confirmaría el papel decisivo de la experiencia en el aprendizaje.

Aun cuando los nacidos en Agua pudieran imaginar el azul, quedaría todavía una pregunta sin contestar. ¿Pueden hacerlo porque, como humanos, han nacido con algún tipo de sensibilidad innata al azul o podrían imaginar cualquier color? Como sólo podemos imaginar los colores del espectro visible, la respuesta correcta sería seguramente la primera. Ello parecería indicar que nuestra naturaleza humana establece tantos límites a lo que podemos imaginar y conocer como la experiencia.

VÉASE TAMBIÉN

42. Toma el dinero y corre

«¡Marco el Magnífico demostrará ahora sus extraordinarios poderes adivinatorios! ¡Usted, señor! ¿Cómo se llama?»

«Frank», respondió Frank al hombre del parque de atracciones.

«¡Frank, yo sé su futuro! ¡Conozco todos los futuros, incluidos los de acciones y participaciones! ¡Por eso dispongo de dinero para regalárselo a usted en esta demostración de mis poderes! ¡Observe estas dos cajas! Como puede ver, una está abierta. Contiene 1.000 libras. La otra está cerrada. ¡Contiene o un 1.000.000 de libras o absolutamente nada! Puede coger cualquiera de las dos cajas o ambas. ¡Pero le advierto que sé lo que va a escoger! Si sólo coge la caja cerrada, ésta contendrá un 1.000.000 de libras. Si coge las dos, estará vacía. ¡Y, si me equivoco, le daré este millón de libras que tiene usted delante a un miembro cualquiera del público!»

Todos se quedaron boquiabiertos cuando Marco abrió una maleta llena de billetes de 50 libras.

«¡Señoras y señores! He realizado este milagro cien veces y jamás me he equivocado, como han atestiguado observadores independientes. Y, si observan la caja cerrada, que está a tres metros de mí, verán que nada de cuanto haga podrá alterar su contenido. Entonces, Frank, ¿qué elige usted?»

Fuente: la paradoja de Newcomb, ideada por William Newcomb y popularizada en «Newcomb's Problem and Two Principles of Choice», de Robert Nozick, en *Essays in Honour of Carl G. Hempel*, compilado por Nicholas Rescher (Humanities Press, 1970).

¿Qué debería elegir Frank? Imaginemos que Frank tiene algo más que la palabra de Marco de que éste siempre predice correctamente. Para empezar, puede que la razón de que Frank esté entre el público es que conozca el historial de Marco por fuentes solventes, incluidos los observadores independientes mencionados por Marco. En tal caso, parece claro que debería elegir sólo la caja cerrada. De esa manera conseguiría un millón de libras en lugar de sólo mil.

¡Un momento! Cuando Frank alarga la mano para coger la caja cerrada, penetra en su mente una idea. Esa caja contiene o no un millón de libras. Nada de lo que él haga puede alterar este hecho. Luego, si contiene el dinero, éste no va a desaparecer si coge también la caja abierta. Análogamente, si está vacía, no va a aparecer en ella un millón de libras por arte de magia si renuncia a la caja abierta. Su elección no puede cambiar lo que haya en la caja cerrada. Por tanto, coja o no coja la caja abierta, la suma que hay en la cerrada seguirá siendo la misma. Por consiguiente, puede coger ambas, pues el resultado no puede ser menos dinero.

Tenemos aquí una paradoja, que lleva el nombre de William Newcomb, el físico que la inventó. Dos líneas de razonamiento, ambas aparentemente impecables, conducen a conclusiones contradictorias. Una concluye que sólo debería coger la caja cerrada; la otra que también puede coger las dos. Por consiguiente, cualquiera de ambos argumentos es defectuoso, o bien existe algún tipo de incoherencia o contradicción en el problema mismo que lo vuelve irresoluble.

¿Cuál podría ser esta contradicción? El problema se plantea únicamente porque suponemos que Marco posee la capacidad de predecir el futuro con un cien por cien de precisión. ¿El hecho de que surja una paradoja si partimos de este supuesto demostraría que ha de ser falso? ¿Quizá no es posible predecir el futuro con tanta exactitud cuando están en juego el libre albedrío y la libertad de elección humanos?

Se trataría de una idea reconfortante, pero no necesariamente acertada. En efecto, si Marco puede predecir el futuro, también puede predecir cómo razonarán los humanos. Tal vez nuestro problema estriba en que no incluimos esto en nuestro análisis. Que Marco deje o no vacía la caja cerrada dependerá de cómo prediga que razonará el que elige. Si predice que Frank razonará que no tiene nada que perder cogiendo ambas, dejará vacía la caja. Si predice que razonará que debería renunciar a la caja abierta, pondrá un millón de libras en la cerrada. En otras palabras, si es posible ver el futuro, el libre albedrío humano no será capaz de cambiarlo, pues nuestra elección formará parte de lo previsto. Puede que seamos libres y que, sin embargo, tengamos un solo futuro por delante, que en principio podemos conocer de antemano.

Véase también

43. Susto futuro

«¡Drew! ¡No te había vuelto a ver desde la facultad, hace veinte años! ¡Dios mío, Drew! ¿Qué haces con esa pistola?»

«He venido a matarte —dijo Drew—, tal como tú me pediste.»

«¿De qué demonios estás hablando?»

«¿No lo recuerdas? Me dijiste muchas veces: "Si voto alguna vez a los republicanos, pégame un tiro". Pues bien, acabo de leer que eres un senador republicano. Así que ya ves, debes morir.»

«¡Estás loco, Drew! ¡Eso fue hace veinte años! ¡Yo era joven e idealista! ¡No puedes tomarte en serio aquellas palabras!»

«No fue un comentario a la ligera, senador. De hecho, tengo aquí un papel firmado por ti en presencia de testigos, ordenándome que lo hiciera. Y antes de que me pidas que no me lo tome en serio, déjame recordarte que votaste recientemente un proyecto de ley a favor de los testamentos vitales. De hecho, tú mismo tienes uno. Dime la verdad: si piensas que la gente debería cumplir en el futuro tu deseo de matarte en caso de demencia o si entras en un estado vegetativo permanente, ¿por qué no debería cumplir yo tu deseo pasado de matarte si te hacías republicano?»

«¡Tengo una respuesta para eso! —gritó entre sudores el senador—. ¡Dame unos minutos!»

Drew amartilló su pistola y apuntó. «Más vale que te des prisa.»

El senador podría dar una buena respuesta a la pregunta de Drew. Pero, primero, deberíamos plantearnos la pregunta más fundamental de qué nos da derecho a tomar decisiones vinculantes en nombre de nuestro yo futuro. La respuesta evidente es que, dado que podemos desde luego tomar decisiones por nosotros mismos, no hay razón para que éstas no incluyan nuestro yo futuro. De hecho, tomamos tales decisiones continuamente, cuando firmamos hipotecas a veinticinco años, planes de pensiones, para tenerte y protegerte hasta que la muerte nos separe, o tan sólo para un contrato de trabajo por dos años.

Junto a este deber de cumplir nuestras promesas, sin embargo, debemos gozar sin duda del derecho concomitante a cambiar de parecer conforme cambien nuestras circunstancias y creencias. Mucha gente, por ejemplo, dice cosas que empiezan con un «Que me maten si…», sobre todo cuando son jóvenes. Y, aunque se trata con frecuencia de una forma de hablar, a menudo lo dicen con suma sinceridad personas mayores de edad y consideradas capaces de tomar decisiones sobre su propio futuro. No obstante, sería ridículo obligar a la gente a cumplir esas promesas.

Pero ¿por qué resulta ridículo, veinte años después, castigar, si no matar, a alguien por incumplir su promesa de no votar a los republicanos, pero parece razonable esperar que intente mantener sus votos matrimoniales? Existen diferencias significativas. Un voto matrimonial, como una hipoteca, implica responsabilidad y compromiso hacia otros. Si los incumplimos, otros sufren. Si cambiamos de parecer en cuestiones de política o religión, sin embargo, en términos generales no rompemos ningún acuerdo que tengamos con otros.

No obstante, el hecho de que nos parezca razonable cambiar de parecer debería hacernos ver estos otros compromisos a largo plazo como no absolutos. Pues lo cierto es que cambiamos. En un sentido muy concreto, no somos los mismos que fuimos hace muchos años. Así pues, cuando hacemos promesas en nombre de nuestro yo futuro, en cierta medida estamos prometiendo en nombre de alguien distinto de quienes ahora somos. Y eso significa que nuestras promesas no deberían considerarse moralmente vinculantes.

¿Cómo afecta esto al tema de los testamentos vitales? La diferencia clave aquí es que estos documentos existen para la eventualidad de que no exista un yo futuro competente para tomar una decisión. En tal situación, puede que la persona más cualificada para hacerlo sea el yo pasado más que otra persona presente. Ésa es la respuesta que debería dar el senador. Que baste o no para que Drew vuelva a ponerle el seguro a su pistola es otra cuestión.

VÉASE TAMBIÉN

44. Hasta que la muerte nos separe

Harry y Sophie deseaban tomarse en serio las palabras que pronunciaría el pastor en el momento en que intercambiasen los anillos: «Estas dos vidas quedan unidas ahora en un círculo irrompible». Esto significaba anteponer el interés común a sus intereses particulares. Si eran capaces de hacerlo, el matrimonio sería mejor para ambos.

Pero Harry había visto divorciarse a sus padres, y a muchos amigos y conocidos heridos por la traición y el engaño de aceptar esto incuestionablemente. La parte calculadora de su cerebro razonaba que, si se ponía a sí mismo en segundo lugar, pero Sophie se ponía en primer lugar, Sophie conseguiría mucho en el matrimonio pero él no. En otras palabras, se arriesgaba a que le tomasen por tonto si renunciaba románticamente a proteger sus propios intereses.

Sophie tenía pensamientos similares. Incluso habían discutido el problema y acordado que de veras no serían egoístas en el matrimonio. Pero ninguno de ellos podía estar seguro de que el otro cumpliría su parte del trato, por lo que lo más conveniente para ambos sería cuidar de sí mismos en secreto. Eso implicaba inevitablemente que el matrimonio no sería tan bueno como podría haber sido. Pero sin duda era la única forma racional de actuar.

Aquí hay algo que no encaja. Dos personas tratan de decidir racionalmente lo que más les interesa. Si ambos actúan de un determinado modo, tienen garantizado el mejor resultado para ambos. Pero, si uno de ellos obra de otra manera, se asegura todas las ventajas y el otro queda mal parado. De modo que, para que esto no suceda, ninguno hace lo que es mejor si ambos lo hacen, con lo que ambos alcanzan un resultado peor de lo que podría haber sido.

Ésta es una versión de un problema conocido como el «dilema del prisionero», el célebre ejemplo de cómo deberían declararse dos prisioneros. Los dilemas del prisionero pueden plantearse cuando se requiere cooperación para lograr el mejor resultado, pero ninguna parte puede garantizar que la otra cooperará. De ahí que en el ejemplo típico intervengan prisioneros mantenidos en celdas separadas, incapaces de comunicarse. Pero el mismo problema puede surgirles incluso a personas que comparten cama. El hecho es que las personas traicionan secretamente la confianza de sus parejas, a menudo sin ser descubiertas durante años.

El dilema revela las limitaciones de la persecución racional del interés propio. Si todos decidimos *individualmente* hacer lo mejor para cada uno de nosotros, podemos salir peor parados que si hubiéramos cooperado. Pero, para cooperar de manera efectiva, incluso si nuestro motivo para hacerlo es el interés propio, necesitamos confiar los unos en los otros. Y la confianza no se basa en argumentos racionales.

Por eso es tan apasionante el dilema de Harry y Sophie. Su capacidad de confiar se ha visto erosionada por su experiencia de traiciones y divorcios. No obstante, sin esta confianza, es más probable que su relación resulte insatisfactoria o incluso que fracase. Sin embargo, ¿quién puede culparles por su escepticismo? ¿No es perfectamente racional? Después de todo, no se basa en nada más que en una estimación justa de cómo se comportan realmente las personas en los matrimonios modernos.

Si esta historia tiene otra moraleja de más calado, quizá sea que, aunque implique una cierta dosis de asunción no racional de riesgos, la confianza es necesaria para exprimir al máximo la vida. Es cierto que, si confiamos en los demás, nos exponemos a que nos exploten. Pero, si no lo hacemos, nos cerramos las puertas a lo mejor de la vida. La estrategia segura y racional de Harry y Sophie les protege de lo peor que podría reportarles su matrimonio, pero también les aleja de lo mejor.

VÉASE TAMBIÉN

45. El jardinero invisible

Stanley y Livingston llevaban más de dos semanas observando aquel pintoresco claro desde la seguridad de su improvisado escondrijo.

«No hemos visto absolutamente a nadie —dijo Stanley— y el claro no se ha deteriorado lo más mínimo. Por fin admitirá usted que estaba en un error: ningún jardinero cuida este lugar.»

«Mi querido Stanley —replicó Livingston—, recuerde que admití que podría tratarse de un jardinero invisible.»

«Pero este jardinero no ha hecho ni el más leve ruido ni ha movido una sola hoja. Por tanto, insisto en que no hay ningún jardinero.»

«Mi jardinero invisible —continuó Livingston— es también silencioso e intangible.»

Stanley estaba exasperado. «¡Maldita sea! ¿Cuál es la diferencia entre un jardinero silencioso, invisible e intangible y ningún jardinero?»

«Es fácil —replicó el sereno Livingston—. El uno cuida los jardines. El otro no.»

«Supongo entonces —dijo Stanley con un suspiro— que el doctor Livingston no tendrá ninguna objeción si le mando rápidamente a un cielo silencioso, inodoro, invisible e intangible.»

A juzgar por la mirada asesina en los ojos de Stanley, no estaba bromeando del todo.

Fuente: «Theology and Falsification» de Antony Flew, reeditado en *New Essays in Philosophical Theology*, compilado por A. Flew y A. MacIntyre (SCM Press, 1955).

La fuerza de esta parábola depende de que el lector suponga, con Stanley, que Livingston es un tonto irracional. Persiste en una opinión para la que no hay prueba alguna. Lo que es peor, para mantener su creencia en el jardinero, ha hecho tan débil la propia idea de este ser misterioso que se desvanece. ¿Qué queda de un jardinero una vez suprimido todo lo visible y tangible? A buen seguro, Stanley no puede demostrar que no exista semejante fantasma de dedos verdes, pero puede preguntar con razón de qué sirve continuar creyendo en algo tan nebuloso.

Cabría alegar que lo mismo sucede con Dios. Al igual que Livingston ve la mano del jardinero en la belleza del claro, muchas personas religiosas ven la mano de Dios en la belleza de la naturaleza. A primera vista quizá resulte razonable suponer la existencia de un todopoderoso y bondadoso creador de este mundo maravillosamente complejo. Pero, como Stanley y Livingston, disponemos de algo más que primeras impresiones. Y nuestras continuas observaciones parecen desmontar, una por una, las características que dan vida a este Dios.

En primer lugar, el mundo funciona conforme a leyes físicas. No se requiere a Dios para poner en marcha la lluvia ni para hacer que salga el sol cada día. Pero, sostiene el creyente livingstoniano, fue Dios quien encendió la mecha y puso en marcha el universo.

Pero advertimos además que la naturaleza dista de ser amable y bondadosa. En el mundo existen sufrimientos terribles y males manifiestos. ¿Dónde está entonces el buen Dios? El creyente replica que Dios hizo las cosas lo mejor posible, pero el pecado humano puede echarlo todo a perder.

Pero hasta los inocentes sufren y, cuando piden a gritos ayuda, ningún Dios responde. Entonces, mientras su Dios se va esfumando entre las sombras, los creyentes responden que el bien que surge de este sufrimiento no pertenece a esta vida sino a la vida venidera.

¿Y qué nos queda al final? Un Dios que no deja huella, no hace ruido ni interfiere un ápice en el curso del universo. Se proclaman aquí y allá unos cuantos milagros, pero ni siquiera se los creen demasiado los creyentes más religiosos. Por lo demás, Dios está ausente. No vemos su uña en la naturaleza, y mucho menos su mano.

¿Cuál es entonces la diferencia entre este Dios y ningún dios? ¿No es tan disparatado mantener que existe como insistir en que un jardinero se ocupa del claro descubierto por Livingston y Stanley? Si Dios ha de ser algo más que una palabra o una esperanza, seguramente necesitamos algún signo de que interviene en el mundo.

VÉASE TAMBIÉN

46. Cosas de amebas

La prensa le había apodado «hombre gusano», pero sus amigos le conocían como Derek. Los científicos habían manipulado su ADN para imitar una de las características más sorprendentes del gusano común o de jardín: la capacidad de regenerar tejido perdido. Y había funcionado. Cuando le cortaron la mano para someterlo a prueba, en el plazo de un mes había crecido una nueva. Luego todo se estropeó. Su cuerpo se deterioraba lentamente. Para salvarle la vida tuvieron que trasplantar su cerebro a un nuevo cuerpo. Pero un grave error durante la operación rompió en dos su cerebro.

Por fortuna, ambas mitades se regeneraron por completo y se trasplantaron con éxito a nuevos cuerpos. El único problema era que los dos hombres que tenían ahora uno de los cerebros creían ser Derek. Más aún, ambos tenían los recuerdos, las facultades mentales y la personalidad de Derek. Esto le creaba problemas al novio de Derek, que era incapaz de distinguirlos. También llevó a los Derek a enzarzarse en una batalla legal para reclamar los bienes de Derek. Pero ¿cuál era el auténtico Derek? No podían ser los dos, ¿o sí?

Fuente: sección 89 de *Reasons and Persons*, de Derek Parfit (Oxford University Press, 1984) (trad. cast.: *Razones y personas*, Madrid, A. Machado Libros, 2005).

Como un buen detective, antes de lanzarnos a explicar lo sucedido deberíamos aclarar los hechos. Donde una vez teníamos un Derek, ahora tenemos dos. Llamémosles Derek derecho y Derek izquierdo, como los hemisferios del cerebro original a partir del cual se desarrollaron. ¿Cuál de ellos es Derek, si es que alguno lo es?

Los dos no pueden ser Derek, porque desde la división son dos personas, no una. Si Derek derecho muriera, por ejemplo, y Derek izquierdo siguiera vivo, ¿Derek estaría muerto o vivo? Como una persona no puede estar muerta y viva a la vez, Derek no podría ser tanto Derek derecho como Derek izquierdo.

Quizá ni el Derek derecho ni el izquierdo son Derek. Pero esta solución parece extraña. Si, por ejemplo, el hemisferio izquierdo se hubiese destruido en la operación y sólo se hubiera regenerado plenamente el derecho, a buen seguro diríamos que Derek derecho era Derek. No obstante, como también se había regenerado el hemisferio izquierdo, Derek derecho deja automáticamente de ser Derek, aunque sea exactamente el mismo en ambas circunstancias. ¿Cómo puede una diferencia en algo externo a Derek derecho hacerle dejar de ser Derek?

La única posibilidad que queda es que o bien Derek derecho o bien Derek izquierdo sea Derek, pero sólo uno de ellos. Pero, como pueden reclamar con el mismo derecho su identidad, ¿por qué habríamos de escoger a uno antes que al otro? La atribución de identidad no puede ser arbitraria. Por tanto, las tres posibilidades (ambos, uno o ninguno) parecen erróneas. Mas una ha de ser cierta: no existen más opciones.

Si ninguna de las respuestas posibles a una pregunta resulta adecuada, tal vez estemos haciendo la pregunta equivocada. Es como exigir una respuesta a «¿Cuándo dejaste de pegar a tu mujer?», cuando las palizas nunca empezaron.

En el caso del hombre gusano, el problema es que estamos preguntando por la identidad a lo largo del tiempo, una relación uno a uno, cuando el asunto en cuestión entraña una relación uno a muchos a lo largo del tiempo. La lógica de la identidad no tiene cabida en este contexto. Deberíamos hablar en cambio de sucesión o continuación. Así, tanto Derek derecho como Derek izquierdo son *continuadores* de Derek, pero no deberíamos preguntarnos cuál *es* Derek, si es que alguno lo es.

Por tanto, la pregunta debería ser tal vez si Derek *sobrevivió* a su dura prueba. Se diría que así fue. En tal caso, parece que Derek logró la supervivencia personal sin identidad personal. Ni que decir tiene que las personas normales no se dividen como Derek. Con todo, su historia puede resultar instructiva. En efecto, lo que sugiere es que lo importante para nuestra supervivencia no es la preservación de nuestra identidad a lo largo del tiempo, sino la clase adecuada de continuidad entre nosotros y nuestro yo futuro. La cuestión es, pues, qué queremos que continúe. ¿Nuestro cuerpo? ¿Nuestro cerebro? ¿Nuestra vida interior? ¿Nuestra alma?

Véase también

El profesor Lapin y su ayudante estaban muy emocionados con la posibilidad de construir un léxico para un idioma anteriormente desconocido. Acababan de descubrir la tribu perdida de los lepóridos y ahora se disponían a registrar el significado de las palabras de su idioma.

La primera palabra por definir era *gavagai*. Había oído usar esta palabra cada vez que estaba presente un conejo, así que Lapin estaba a punto de escribir «*gavagai* = conejo». Pero entonces intervino su ayudante. Por lo que sabemos, ¿no podría significar *gavagai* otras cosas, como «parte inseparable del conejo» o «¡Mira, un conejo!»? ¿Puede que los lepóridos piensen que los animales existen en cuatro dimensiones, en el tiempo y en el espacio, y que *gavagai* se refiera únicamente a la parte del conejo presente en el momento de la observación? ¿O quizá *gavagai* designa sólo a los conejos observados, y los conejos que no se ven poseen un nombre diferente?

Las posibilidades parecían extravagantes, pero Lapin tenía que admitir que eran compatibles con lo que habían observado hasta ese momento. Pero ¿cómo podían saber cuál era la correcta? Podían hacer más observaciones, pero, para descartar todas las posibilidades, tendrían que saberlo prácticamente todo sobre la tribu, su modo de vida y las demás palabras que empleaban. Pero ¿cómo iniciar entonces siquiera su diccionario?

Fuente: *Word and Object*, de W. V. O. Quine (MIT Press, 1960) (trad. cast.: *Palabra y objeto*, Barcelona, Herder, 2001).

Cualquiera que hable más de un idioma sabrá que hay palabras difíciles de traducir de uno a otro. En español, por ejemplo, se habla de la «marcha» de una ciudad o fiesta. Se trata de algo similar, pero no idéntico, a la palabra irlandesa *craic*, que también es difícil de verter exactamente al inglés. El equivalente más próximo podría ser *buzz* o *good time feel*, pero, para saber lo que significan *marcha* o *craic*, hay que meterse en la piel del idioma y la cultura a la que pertenecen.

Análogamente, no hay una sola traducción del verbo *to be* al español. Más bien hay dos, «ser» y «estar», y cuál necesitemos emplear dependerá de diferencias en el significado de *be* que el léxico inglés no refleja. Y, para manejar debidamente el término español «esposas», hay que saber que en inglés significa tanto *wives* como *handcuffs*, y ser conscientes del machismo español tradicional.

Lo que sugiere la historia del *gavagai* es que todas las palabras son como *craic*, «marcha», «ser» y «esposas», toda vez que sus significados se hallan íntimamente vinculados a las prácticas culturales y al resto de las palabras del idioma. Cuando vertemos una palabra a otra lengua perdemos estos contextos cruciales. En la mayoría de los casos superamos airosos estas barreras, ya que los significados se asemejan lo suficiente como para que seamos capaces de usar la palabra y desenvolvernos en la comunidad de hablantes que la usan. Por eso, si Lapin cree que *gavagai* significa «conejo», probablemente se manejará bien, aun cuando existan sutiles diferencias de significado entre ambos términos. Pero, para comprender el auténtico significado de *gavagai*, debe centrarse en el idioma y la comunidad en los que se inserta, no en sus conceptos y prácticas ingleses.

¿Qué importancia tiene esto? Tendemos a pensar que las palabras funcionan como una especie de etiquetas para las ideas o los objetos, lo cual faculta a quienes hablan diferentes lenguas maternas para referirse a las mismas cosas y tener las mismas ideas. Simplemente utilizan diferentes palabras para hacerlo. Según este modelo, las palabras mantienen una relación uno a uno con sus significados o con las cosas a las que se refieren.

Pero, si nos tomamos en serio la historia del *gavagai*, hemos de cambiar radicalmente esta concepción. Las palabras no guardan una relación una a una con las cosas y las ideas. Antes bien, están conectadas entre sí y con las prácticas de sus hablantes. El significado es «holístico», toda vez que nunca podemos comprender realmente una palabra aislada.

De esto se siguen toda suerte de extrañas consecuencias. Por ejemplo, ¿qué significa que un enunciado es verdadero? Tendemos a pensar que «El conejo se sentó en la estera» es verdadero sólo si hay un conejo que se sentó en la estera. La verdad implica una correspondencia entre una oración y un estado de cosas. Pero esta simple relación no es posible si el significado de una oración depende del idioma y la cultura en la que se halla inserta. En lugar de una simple correspondencia entre oración y hechos, tiene lugar una compleja trama de relaciones entre los hechos, la oración, el contexto lingüístico y la cultura.

¿Significa esto que la verdad es relativa a la lengua y la cultura? Sería precipitado saltar a esa conclusión, pero, desde el punto de partida del holismo semántico, sería posible caminar lentamente hacia ella.

VÉASE TAMBIÉN

48. Genio malvado

Todos los críticos coincidían. La película era imponente, la interpretación magistral, el diálogo vivaz, el ritmo perfecto y la banda sonora magnífica y empleada con maestría al servicio de la historia. Pero también estaban de acuerdo en que *De puta madre** era moralmente repulsiva. Presentaba una visión del mundo en la que los hispanos eran racialmente superiores a los demás seres humanos, la crueldad con los viejos se consideraba necesaria y las mujeres sin hijos estaban expuestas a que las violasen con impunidad.

Hasta ahí llegaba el consenso. Para algunos, la depravación moral de la película socavaba sus pretensiones de convertirse en una gran obra de arte. Para otros, era preciso separar el medio del mensaje. La película era tanto una gran obra de arte cinematográfico como una vergüenza moral. Podemos admirarla por lo primero y detestarla por lo segundo.

El debate excedía lo académico, pues el mensaje del filme resultaba tan repugnante que se prohibiría, a menos que se pudiese alegar que sus méritos artísticos justificaban la exención de la censura. El director advirtió de que la prohibición supondría una catástrofe para la libertad de expresión artística. ¿Tenía razón?

Esta controversia imaginaria tiene muchas réplicas en la vida real. Por mencionar casos notables, sigue habiendo vehementes discrepancias sobre los méritos de las películas de Leni Riefenstahl *El triunfo de la voluntad*, un documental sobre los mítines nazis de Nuremberg, y *Olimpiada*, un documental sobre la Olimpiada de Múnich de 1936 que fortalece los mitos de la superioridad aria. Para algunos, Riefenstahl fue una brillante realizadora que puso su talento al servicio del mal; para otros, sus películas constituyen un fracaso artístico a la par que moral.

* En castellano en el original. (*N. del t.*)

Oscar Wilde encarnó una posición extrema en este debate general cuando escribió: «No existen libros morales ni inmorales. Los libros están bien escritos o mal escritos». La tesis de Wilde era que el arte era independiente de la moralidad, por lo que era un error medir el arte según los estándares de la ética.

La mayoría no llegaron tan lejos. Muchos argüirían, sin embargo, que cabe separar los juicios estéticos de los éticos, y que podemos admirar algo desde el punto de vista estético pero no desde el ético.

Pero el acuerdo en este punto no zanja el debate. Una cosa es decir que es posible separar lo ético de lo estético, y otra muy diferente afirmar que, por consiguiente, podemos dejar de lado nuestros juicios morales. Sería perfectamente compatible sostener que *De puta madre* constituye un triunfo artístico y una vergüenza moral, y que las exigencias de la moralidad superan las del arte. En ese caso, podríamos querer prohibir una película aun reconociendo su gran mérito artístico.

En el polo opuesto al de Wilde está la concepción según la cual el mérito artístico y el moral se hallan íntimamente ligados. Keats escribió que «la belleza es la verdad, la verdad es la belleza». Si esto es cierto, entonces cualquier obra de arte que ofrezca una imagen distorsionada de la realidad supondrá un fracaso estético amén de creativo. Una obra de arte repugnante pero brillante sería una contradicción en sus términos, y quienes admirasen *De puta madre* estarían sencillamente equivocados.

Cuando personas inteligentes discrepan tanto respecto a lo esencial, es fácil refugiarse en el relativismo del «todo vale». Pero, en este caso, esta opción no sirve. Quien no comparta las llamadas a prohibir *De puta madre* no podrá decir que la opinión de quienes discrepan es tan buena como la suya, pues para ello necesitaría admitir que lo que no considera razonable es razonable después de todo. Análogamente, quien acepte la legitimidad de los que se oponen a la prohibición socavará la defensa de la censura.

Si la verdad está en efecto a ambos lados de la barrera, ha de existir un territorio común. Encontrarlo no es, sin embargo, tarea fácil.

VÉASE TAMBIÉN

49. La suma de las partes

Barbara y Wally se montaron corriendo en el taxi en la estación de Oxford. «Tenemos prisa —dijo Barbara—. Acabamos de llegar de Londres y esta tarde vamos a Stratford-upon-Avon. ¿Podría enseñarnos la universidad y luego volver a traernos a la estación?»

El taxista sonrió para sí y puso en marcha el taxímetro, calculando que la tarifa sería elevada.

Les llevó por toda la ciudad. Les enseñó los museos Ashmolean y Pitt Rivers, así como el jardín botánico y los museos de historia natural y de historia de la ciencia. Su recorrido no sólo incluyó la famosa biblioteca Bodleian, sino también otras menos conocidas, como Radcliffe, Sackler y Taylor. Les mostró los treinta y nueve *colleges* así como los siete *permanent private halls*. Cuando paró por fin en la estación, el taxímetro marcaba una tarifa de 64,30 libras.

«¡Nos ha engañado!» —protestó Wally—. Nos ha enseñado los *colleges*, las bibliotecas y los museos. ¡Pero lo que queríamos ver era la universidad, maldita sea!»

«¡Pero la universidad son los *colleges*, las bibliotecas y los museos!», replicó indignado el taxista.

«¿Espera que nos lo traguemos? —dijo Barbara—. ¡Que seamos turistas norteamericanos no significa que seamos estúpidos!»

Fuente: capítulo 1 de *The Concept of Mind*, de Gilbert Ryle (Hutchinson, 1949) (trad. cast.: *El concepto de lo mental*, Barcelona, Paidós, 2005).

La reputación de escandalosos, descarados y estúpidos que tienen los turistas norteamericanos en Gran Bretaña es bastante injusta. Para empezar, ¿a cuántos británicos les gustaría que les juzgasen en función del comportamiento de nuestros veraneantes en la Costa del Sol?

Esta historia no pretende ser un ataque a los norteamericanos, sino un ejemplo llamativo de una forma de pensamiento falaz en la que incurren hasta las mentes más sagaces. Barbara y Wally han cometido lo que el filósofo oxoniense Gilbert Ryle denominó un error categorial. Han pensado que la Universidad de Oxford era la misma clase de cosa que los *colleges*, bibliotecas y museos que la componen: una institución albergada en un edificio concreto. Pero la universidad no es de ese tipo de cosas. No existe un lugar o edificio que puedas señalar y decir «Ésa es la universidad». Como explicó con razón el taxista, es la institución a la que pertenecen todas esas partes y edificios específicos.

Pero eso no significa que la universidad sea una presencia fantasmal que aglutina misteriosamente todos los *colleges*, bibliotecas y demás partes de ella. Pensar tal cosa supondría cometer otro error categorial. No se trata ni de una sola cosa material ni inmaterial. No deberíamos dejarnos engañar por el lenguaje y suponer que, como es un nombre singular, es un objeto singular.

Ryle creía que la manera más común de pensar en la mente incurría en un error categorial similar. También aquí tenemos un nombre singular, la mente, por lo que tendemos a pensar que debe haber una cosa singular que el nombre designa. Si pensamos esto, sin embargo, desembocamos en uno de dos disparates. O concluimos que la mente es el cerebro, lo cual es absurdo, porque los cerebros tienen masa y volumen, pero los pensamientos no; o concluimos que la mente ha de ser una entidad inmaterial, un fantasma en la máquina biológica que es nuestro cuerpo.

Podemos evitar la necesidad de ofrecer cualquiera de estas respuestas inverosímiles una vez que reconozcamos que la mente no es un único objeto. Decir que algo posee una mente equivale a decir que quiere, desea, entiende, piensa, etc. Dado que nosotros hacemos todas estas cosas, decimos que tenemos mente. Pero eso no requiere que identifiquemos objeto alguno como la mente. Esto no entraña más misterio que la afirmación de que la universidad es aquello que consta de *colleges*, bibliotecas y demás, aun cuando ningún objeto sea la universidad.

Se trata de una solución elegante a un viejo problema. Al margen de que resuelva o no el problema de la mente, o más bien lo disuelva, el concepto de error categorial constituye una útil defensa contra la confusión de propiedades del lenguaje con propiedades del mundo.

Véase también

50. El buen soborno

Al Primer Ministro le gustaba tenerse por un «tipo muy honrado». Ciertamente despreciaba la corrupción y la inmoralidad en el gobierno, y deseaba dirigir una administración más limpia y honrada.

No obstante, había ocurrido algo que le hacía enfrentarse a un auténtico dilema. Durante una recepción en Downing Street, un hombre de negocios conocido por su falta de escrúpulos, pero contra quien no pesaba ninguna sentencia criminal ni civil, se llevó a un lado al Primer Ministro. Hablándole al oído en tono conspiratorio, le dijo: «Mucha gente no me aprecia y no respeta mi forma de llevar mis asuntos. Me importa un pimiento. Lo que me fastidia es que mi reputación significa que mi país nunca me concederá ningún reconocimiento honorífico. En fin —continuó—, estoy seguro de que usted y yo podemos hacer algo al respecto. Estoy dispuesto a ofrecer diez millones de libras para contribuir al suministro de agua potable para cientos de miles de africanos, si me garantiza que se me concederá el título de *sir* en la lista de honor de Año Nuevo. De lo contrario, me lo gastaré todo en mí mismo».

Le dio una palmada en la espalda al Primer Ministro, le dijo «Piénselo» y desapareció entre la multitud. El Primer Ministro se daba cuenta de que aquello era una especie de soborno. Pero ¿estaba realmente mal vender uno de los honores más altos de su país cuando la recompensa sería tan beneficiosa?

Para los amantes de una moralidad bien definida, hay dos maneras diferentes de reducir este dilema a una obviedad. Desde una perspectiva estrictamente utilitarista, según la cual la consecuencia moralmente deseable es la que beneficia al mayor número de gente, el Primer Ministro debería aceptar el soborno. El cálculo moral es simple: si acepta, cientos de miles de personas consiguen agua potable, un rico logra el título de *sir* y el único precio que hay que pagar es la irritación de quienes se resisten ante la perspectiva de que un tipo codicioso y casi criminal sea honrado por la reina.

No obstante, si partimos de los principios de integridad y procedimiento debido, es evidente que el Primer Ministro debería resistirse. Los asuntos de Estado deben estar regidos por el procedimiento debido. Si se permite que los ricos compren títulos y honores, por más que el dinero que paguen se destine a una buena causa, se corrompe el principio de que el Estado otorga sus favores en función del mérito y no de la capacidad de pagar.

Para hacernos una idea de la dificultad de este dilema hemos de sentir la fuerza de ambos argumentos. El procedimiento debido y el imperio de la ley son sin duda importantes en toda sociedad democrática y abierta, pero, si la interpretación libre de las reglas entraña consecuencias abrumadoramente positivas y sólo algunas negativas sin importancia, ¿no resulta absurdo o incluso inmoral aferrarse rígidamente a ellas?

El quid de la cuestión es un fenómeno conocido como autoindulgencia. El Primer Ministro desea dirigir un gobierno limpio y eso implica mantenerse al margen de cualquier acto de corrupción. Pero, en este caso, su deseo de no ensuciarse las manos podría requerir sacrificar el bienestar de los muchos miles de africanos que, de lo contrario, conseguirían agua potable. La acusación sería aquí que el Primer Ministro está más interesado en preservarse puro que en mejorar el mundo. Por consiguiente, su aparente deseo de ser moral es, en realidad, inmoral. Es una indulgencia por la que otros pagarán en enfermedades y en tener que caminar varios kilómetros para coger agua.

El Primer Ministro puede ser consciente de esto, pero seguir teniendo muchas reservas. Si se permite pensar de esta manera, ¿qué otras corrupciones se seguirán? ¿Por qué no mentir al electorado, si al hacerlo puede lograr su apoyo para una guerra justa a la que, de lo contrario, se opondría? ¿Por qué no apoyar a regímenes opresivos, si ello contribuirá a la larga a la estabilidad de la región y evitará que accedan al poder otros aún peores? Si lo único que importa en política son las consecuencias netas, ¿cómo puede mantener su deseo de ser un líder recto, honrado e incorrupto? ¿O se trata de un simple sueño ingenuo?

VÉASE TAMBIÉN

51. Vivir en una cubeta

Desde el accidente, Brian había vivido siempre en una cubeta. Su cuerpo quedó aplastado, pero el rápido trabajo de los cirujanos había logrado salvar su cerebro. Este procedimiento se llevaba a cabo siempre que era posible, de suerte que el cerebro podía volver a implantarse en un cuerpo una vez hallado un donante compatible.

Pero, como dejaban de funcionar más cerebros que cuerpos, la lista de espera para nuevos cuerpos se había alargado en demasía. No obstante, la destrucción de los cerebros se consideraba éticamente inaceptable. La solución llegó de China en forma de un extraordinario superordenador, Mai Trikks. Mediante electrodos conectados al cerebro, el ordenador podía suministrar a éste estímulos que le provocaban la ilusión de estar en un cuerpo vivo, habitando el mundo real.

En el caso de Brian, eso significó que se despertó un día en una cama de hospital, donde le informaron del accidente y del exitoso trasplante de cuerpo. Luego siguió llevando una vida normal. No obstante, durante todo ese tiempo no era en realidad más que su viejo cerebro, mantenido con vida en una cubeta y conectado a un ordenador. Brian no tenía ni más ni menos motivos que usted o yo para pensar que vivía en el mundo real. ¿Acaso cabía, tanto en su caso como en el nuestro, llegar a descubrir algo diferente?

Fuentes: la primera de las *Meditaciones metafísicas*, de René Descartes (1641); capítulo 1 de *Reason, Truth, and History*, de Hilary Putnam (Cambridge University Press, 1982) (trad. cast.: *Razón, verdad e historia*, Madrid, Tecnos, 1988); *Matrix*, dirigida por Larry y Andy Wachowski (1999); el argumento de la simulación de Nick Bostrum, <www.simulation-argument.com>.

La posibilidad de que seamos cerebros en cubetas sirvió de detonante para la exitosa película de ciencia ficción *Matrix*. En esta película, al protagonista Neo, interpretado por Keanu Reeves, le ahorraron la humillación de no tener cuerpo, pero su situación era esencialmente la misma que la de Brian. Creía estar viviendo en el mundo real, cuando lo cierto es que a su cerebro le suministraban simplemente la información para crearle esa ilusión. En realidad estaba en una vaina, inmerso en una especie de líquido amniótico.

La duda escéptica de que podríamos ser víctimas de una ilusión a gran escala es mucho más antigua. Entre sus precursoras figuran la alegoría de la caverna de Platón y las dudas sistemáticas de Descartes, quien se preguntaba si podríamos estar soñando o siendo engañados por un demonio poderoso.

Pero lo ingenioso de la idea del cerebro en una cubeta es su plausibilidad. Parece, en efecto, científicamente posible, lo cual la hace más creíble que un fantasmal demonio engañador.

De hecho, un reciente argumento ha llegado a sugerir que es abrumadoramente probable que estemos viviendo en un entorno de realidad virtual, acaso no como cerebros en cubetas, sino como inteligencias creadas artificialmente. El argumento consiste en que, con tiempo suficiente, nosotros u otra civilización seremos capaces, casi con certeza, de crear inteligencias artificiales y entornos de realidad virtual donde éstas puedan vivir. Además, como estos mundos simulados no requieren la inmensa cantidad de recursos naturales para mantenerlos en marcha que precisan los organismos biológicos, el número de entornos de este tipo que podrían crearse sería prácticamente ilimitado. Podríamos tener el equivalente a todo un planeta Tierra «viviendo» en un ordenador de mesa del futuro.

Si todo esto es posible, basta con hacer cálculos para ver que es probable que estemos en una simulación semejante. Pongamos que, en el transcurso de toda la historia humana, por cada ser humano que viva en algún momento haya otros nueve que sean el resultado de simulaciones informáticas. Tanto las simulaciones como los humanos creerían ser organismos biológicos. Pero el noventa por ciento de ellos estarían equivocados. Y, como no podemos saber si nosotros somos simulaciones o seres reales, hay un noventa por ciento de posibilidades de que estemos equivocados al pensar que somos esto último. En otros términos, es mucho más probable que estemos viviendo en algo parecido a Matrix que en la Tierra real.

A la mayoría de la gente le parece que en este argumento hay gato encerrado, pero tal vez sea simplemente porque su conclusión es demasiado alarmante. Lo que hemos de preguntar no es si suena increíble, sino si incurre en algún error lógico. Y la detección de sus fallos es una tarea ardua, si no imposible.

VÉASE TAMBIÉN

52. Más o menos

Carol había decidido destinar una buena parte de su considerable fortuna a mejorar la vida en una aldea empobrecida del sur de Tanzania. No obstante, como tenía reservas sobre los programas de control de natalidad, la agencia de desarrollo con la que trabajaba había propuesto dos planes posibles.

El primero no recurriría al control de la natalidad. Probablemente esto supondría un crecimiento de la población de la aldea de cien a ciento cincuenta, y el índice de calidad de vida, que mide factores tanto subjetivos como objetivos, se elevaría modestamente de un promedio de 2,4 a 3,2.

El segundo plan sí que incluía un programa no coactivo de control de la natalidad. De este modo la población permanecería estable en cien, pero la calidad media de vida ascendería hasta 4.

Dado que sólo aquellos que tienen una calidad de vida igual o inferior a 1 consideran que su vida no merece la pena en absoluto, el primer plan conduciría a que hubiese más vidas dignas que el segundo, mientras que el segundo daría lugar a menos vidas, pero aún más satisfactorias. ¿Qué plan emplearía mejor el dinero de Carol?

Fuente: cuarta parte de *Reasons and Persons*, de Derek Parfit (Oxford University Press, 1984) (trad. cast.: *Razones y personas*, Madrid, A. Machado Libros, 2005).

El dilema de Carol no consiste simplemente en elegir entre calidad o cantidad, pues, cuando usamos cosas tales como índices de calidad de vida, estamos cuantificando la calidad. Esto es tan complicado como parece.

¿Qué está tratando de lograr Carol? Hay tres respuestas plausibles. Una es aumentar el número de vidas dignas de ser vividas. Otra es aumentar la cantidad total de calidad de vida. Y la tercera es crear las condiciones para las formas de vida más dignas posibles.

Consideremos la primera opción. Está claro que, si se decanta por el plan sin control de natalidad, como resultado habrá más vidas que merezcan la pena. Pero ¿es ésta una consecuencia deseable? Si pensamos que lo es, parece que desembocamos en una conclusión absurda. Como todas las vidas salvo las más miserables merecen la pena, siempre deberíamos intentar traer al mundo la mayor cantidad de gente posible, siempre que su calidad de vida no caiga por debajo de un nivel mínimo. Ahora bien, ¿sería realmente bueno triplicar la población de Gran Bretaña, por ejemplo, empobreciéndola en el proceso, con el fin de traer al mundo más vidas dignas de ser vividas?

El segundo objetivo posible es aumentar la cantidad total de calidad de vida. Una vez más, el primer plan lo consigue. Aunque las matemáticas sólo pueden aproximarse a la realidad, podemos calcular aproximadamente que ciento cincuenta vidas, con un índice de calidad de vida de 3,2 cada una, supone un total de 480 «puntos», mientras que cien vidas, con un índice de 4 cada una, supone sólo 400. Luego hay más calidad de vida con el primer plan.

Pero también esto puede llevar al absurdo. En efecto, si usamos esto como base para nuestros juicios, nos parecería mejor traer al mundo mil personas con la expectativa de un índice miserable de calidad de vida del 1,1 que cien con el índice máximo de 10. (Los índices utilizados aquí son ficticios.)

Nos queda la tercera posibilidad: crear las condiciones para las formas de vida humana más dignas y satisfactorias posibles, y no preocuparnos por intentar maximizar ni el número total de personas ni la cantidad total de calidad de vida. Es preferible tener pocas personas realmente satisfechas a muchas más apenas satisfechas.

Aunque parece una conclusión razonable, tiene implicaciones en otros ámbitos de la vida y la ética que algunos estiman más inquietantes. Y es que, una vez que empezamos a decir que carece de valor crear más vida como un fin en sí mismo, aun cuando esas vidas fuesen dignas de ser vividas, las vidas potenciales, en las primeras fases del feto, dejan de tener un valor especial. El hecho de que un feto pueda convertirse en un ser humano con una vida que merezca la pena no es razón para pensar que estemos moralmente obligados a hacer todo lo que podamos para garantizar que así sea. Ni que decir tiene que muchos aceptarán de muy buen grado esta conclusión. Los demás deberían preguntarse por qué no la aceptan.

53. Problema doble

«Doctor, tiene usted que ayudarme. Me duele muchísimo y sé que me estoy muriendo. Líbreme de este sufrimiento. Máteme de manera rápida e indolora. No aguanto más.»

«Hablemos claro —respondió el doctor Hyde—. ¿Está usted sugiriendo que yo debería darle, por ejemplo, una dosis muy alta de analgésicos, quizá 20 mg de sulfato de morfina, una dosis tan alta que perdería enseguida la conciencia y poco después moriría?»

«¡Sí, tenga piedad!», dijo el paciente.

«Me temo que no puedo hacer tal cosa —respondió el doctor Hyde—. No obstante, veo que está sufriendo, así que le diré lo que puedo hacer. Para aliviar su dolor, necesitaría suministrarle una dosis muy alta de analgésicos, digamos que 20 mg de sulfato de morfina; una dosis tan alta, sin embargo, que perdería enseguida la conciencia y poco después moriría. ¿Qué le parece?»

«Igual que su primera sugerencia», respondió el atónito paciente.

«¡La diferencia no puede ser mayor!— replicó el doctor—. Mi primera sugerencia era que yo le matase, la segunda era que aliviase su dolor. No soy un asesino y la eutanasia es ilegal en nuestro país.»

«Pero en ambos casos me libro de mi sufrimiento», replicó el paciente.

«Sí —dijo el doctor—. Pero sólo en un caso evito el mío.»

La explicación del doctor Hyde de la diferencia entre estas dos sugerencias extraordinariamente semejantes puede antojarse mera sofistería, una tentativa de darle al paciente lo que desea manteniéndose al mismo tiempo dentro de los límites de la ley. En efecto, en muchos países como Gran Bretaña es ilegal acortar la vida de un paciente de forma deliberada, aun cuando éste se encuentre muy afligido y así lo solicite.

No obstante, está permitido tomar medidas para reducir el dolor, aunque sea previsible que éstas aceleren la muerte. La clave está, pues, en la intención. La misma acción (inyectar 20 mg de sulfato de morfina) con las mismas consecuencias puede ser legal si la intención es mitigar el dolor e ilegal si la intención es matar.

No se trata simplemente de una extraña consecuencia de la ley. Tras la distinción se halla un principio muy antiguo de la moral que hunde sus raíces en la teología católica. El principio del doble efecto establece que puede ser moralmente aceptable hacer algo con el fin de lograr un bien, aun cuando podamos prever que también acarreará algún mal, siempre que la intención sea la consecuencia buena y no la mala. La clave está en que prever no es lo mismo que pretender, y el propósito es lo que cuenta.

El principio puede tener mala prensa porque parece una manera de justificar decisiones morales delicadas. Pero, si se toma en serio, es obvio que no se trata de una cláusula de excepción sofística. Por ejemplo, tendemos a suponer que, en el caso del doctor Hyde, éste quiere de veras darle al paciente lo que desea y está buscando un subterfugio legal. Pero hemos de contemplar seriamente la posibilidad de que el doctor Hyde no desee en absoluto matar a su paciente. A pesar de todo, obrará a regañadientes en aras de la noble causa de reducir el sufrimiento, aunque vea que así también le conducirá a la muerte. La diferencia entre previsión e intención puede resultar muy relevante para la conciencia del propio doctor Hyde.

No obstante, persiste la duda de si no seremos tan responsables de lo que prevemos como de lo que pretendemos. Si empiezo a disparar mi fusil en un bosque, consciente de que podría matar fácilmente a un transeúnte, no sirve de defensa alegar que, como no tenía intención de matar a nadie, no soy moralmente responsable si le doy sin querer a alguien. Para resultar justificable, el principio del doble efecto tiene que explicar por qué descarta también un comportamiento tan manifiestamente temerario.

VÉASE TAMBIÉN

54. El yo escurridizo

Lo puedes intentar en casa, o incluso en el autobús. Puedes hacerlo con los ojos cerrados o abiertos, en una habitación silenciosa o en una calle ruidosa. Sólo tienes que hacer esto: identifícate. No quiero decir que te levantes y digas tu nombre. Me refiero a que te captes a ti mismo, no sólo las cosas que haces o experimentas. Para hacerlo, concentra tu atención en ti mismo. Trata de localizar en tu conciencia el «yo» que eres, la persona que está sintiendo calor o frío, pensando tus pensamientos, oyendo los sonidos que te rodean, etc. No te estoy pidiendo que localices tus sentimientos, sensaciones y pensamientos, sino a la persona, el yo que los está teniendo.

Debería ser fácil. Después de todo, ¿hay algo más cierto en este mundo que tu propia existencia? Incluso si todo cuanto te rodea es un sueño o una ilusión, tú debes existir para tener el sueño o la alucinación. Por tanto, si diriges tu mente hacia el interior e intentas darte cuenta sólo de ti mismo, no deberías tardar mucho en encontrarlo. Adelante. Inténtalo.

¿Ha habido suerte?

Fuente: libro I de *A Treatise on Human Nature*, de David Hume (1739-1740) (trad. cast.: *Tratado de la naturaleza humana: autobiografía*, Madrid, Tecnos, 2005).

Admítelo. Has fracasado. Buscabas lo que siempre supusiste que estaba ahí y no encontraste nada. ¿Qué significa eso? ¿Que no existes?

Veamos lo que has encontrado. En el momento en que te diste cuenta de algo habrá sido algo muy concreto: un pensamiento, un sentimiento, una sensación, un sonido, un olor. Pero en ninguno de estos casos habrás sido consciente de *ti mismo*. Puedes describir cada una de tus experiencias, pero no el yo que las tuvo.

Pero, podrías objetar, ¿cómo no darme cuenta de que era yo quien tenía esas experiencias? Por ejemplo, es cierto que, cuando miré el libro que tenía delante, era consciente del libro, no de mí. Pero, en otro sentido, era consciente de ser *yo viendo el libro*. Sencillamente no puedo separarme a mí mismo de la experiencia, y por eso no hay una conciencia específica del yo, sólo una conciencia de aquello de lo que *yo* soy consciente. Eso no significa, sin embargo, que el «yo» pueda eliminarse de la ecuación.

Puede resultar convincente, pero no es suficiente: nos queda el problema de que ese «yo» no es nada. Es como el punto de vista desde el cual se pinta un paisaje. En cierto sentido, el punto de vista no puede separarse del cuadro, pues se trata de un paisaje desde una perspectiva concreta, sin la cual el cuadro no sería lo que es. Pero el propio punto de vista no se revela en el cuadro. Podría tratarse de un montículo cubierto de hierba, un coche aparcado o un bloque de oficinas de hormigón.

El yo que tiene las experiencias puede verse exactamente del mismo modo. Es cierto que, si miro el libro que tengo delante, no sólo soy consciente de que tiene lugar una experiencia visual, sino de que es una experiencia desde un determinado punto de vista. Pero la experiencia no revela nada sobre la naturaleza de ese punto de vista. El «yo» sigue sin ser nada, un centro sin contenido en torno al cual revolotean las experiencias como mariposas.

Según este planteamiento, si preguntamos qué es el yo, la respuesta es que no es más que la suma de todas las experiencias conectadas entre sí por compartir este mismo punto de vista. El yo no es una cosa y ciertamente no es cognoscible para sí mismo. No tenemos conciencia de lo que somos, sólo de lo que experimentamos. Esto no significa que no existamos, pero sí que carecemos de un núcleo permanente de ser, un yo único que perdure en el tiempo, que con tanta frecuencia suponemos, equivocadamente, que nos hace ser los individuos que somos.

VÉASE TAMBIÉN

55. Desarrollo sostenible

La familia Verde se percató de que su éxito estaba exigiendo un alto precio. Su granja era al mismo tiempo su hogar y su negocio. Pero, mientras su empresa estaba produciendo un sustancioso beneficio, las vibraciones causadas por la maquinaria pesada usada in situ estaba destruyendo la estructura del edificio. Si seguían así, en cinco años los daños volverían inseguro el edificio y se verían forzados a abandonarlo. Sus beneficios tampoco alcanzaban para financiar nuevas instalaciones o emprender las reformas y las mejoras estructurales requeridas.

El señor y la señora Verde estaban decididos a preservar su hogar para sus hijos. Con tal fin determinaron ralentizar la producción y, por ende, la propagación de los daños.

Diez años más tarde, los Verde fallecieron y los hijos heredaron el patrimonio familiar. Pero la granja se estaba viniendo abajo. Vinieron los constructores, negaron con la cabeza y dijeron que costaría un millón de libras repararla. Con aire consternado, el más joven de los Verde, que llevaba muchos años de contable del negocio, ocultó el rostro con sus manos.

«Si hubiéramos continuado produciendo al máximo sin preocuparnos del edificio, habríamos tenido suficiente dinero para reparar esto hace cinco años. Ahora, tras diez años de bajos rendimientos, estamos arruinados.»

Sus padres habían tratado de proteger su herencia. De hecho, la habían destruido.

Fuente: *The Skeptical Environmentalist*, de Bjørn Lomborg (Cambridge University Press, 2001) (trad. cast.: *El ecologista escéptico*, Madrid, Espasa Calpe, 2005).

Esta parábola podría interpretarse simplemente como una lección sobre planes de futuro en los negocios. Pero su interés es mucho mayor, pues la historia refleja un serio dilema de mucho más hondo calado: ¿cómo respondemos a las amenazas medioambientales a las que hoy nos enfrentamos?

Consideremos el cambio climático. Los expertos coinciden en que está teniendo lugar y se debe probablemente a la mano del hombre. Pero hoy no es realista pensar en medidas que lo detengan por completo. El protocolo de Kioto, por ejemplo, se limitaría a posponerlo unos seis años. No obstante, el coste de implementar el acuerdo sólo para Estados Unidos equivaldría al dinero requerido para extender el suministro de agua potable a toda la población mundial. Por consiguiente, hemos de preguntarnos si merece la pena pagar el coste de Kioto.

No es que, sin Kioto, Estados Unidos suministraría de hecho agua potable para todos. La clave está más bien en el paralelismo con los Verde. ¿Podríamos desembocar en una situación en la que nos limitásemos a posponer lo inevitable a costa del crecimiento económico, privando así a las generaciones futuras de los fondos que necesitarían para solucionar los problemas que heredarán? No puede ser preferible aplazar el problema del calentamiento global si al hacerlo quedamos peor equipados para encararlo cuando empiece a causar daños.

Eso no equivale a decir que no deberíamos hacer nada respecto al calentamiento global. Se trata simplemente de señalar que deberíamos asegurarnos de que lo que hacemos resulta efectivo y no empeoramos las cosas sin darnos cuenta. Ello exige que no tengamos en cuenta únicamente la propagación del daño medioambiental, sino también la capacidad de las generaciones futuras para hacerle frente. Muchos ecologistas pretenden evitar a toda costa el deterioro medioambiental, pero su planteamiento es tan corto de miras como la estrategia de los Verde de minimizar a toda costa el deterioro de su granja.

Parecería una cuestión de simple sentido común, pero intuitivamente desagradable para quienes se preocupan por el medio ambiente, por tres razones. En primer lugar, sugiere que a veces es preferible dejar que la Tierra se contamine más a corto plazo. En segundo lugar, subraya el papel del crecimiento económico como fuente de soluciones para los problemas. Ese acento en las finanzas y en la economía les resulta odioso a muchos ecologistas. En tercer lugar, se liga a menudo a la idea de que las tecnologías futuras contribuirán a aportar soluciones. Y a muchos ecologistas la tecnología se les antoja una de las fuentes de nuestros problemas, no su solución. Estas tres razones podrían explicar por qué se resisten los Verde a aceptar el argumento, pero no por qué habrían de hacerlo.

VÉASE TAMBIÉN

10. El velo de ignorancia
22. El bote salvavidas
60. Haced lo que yo digo, no lo que yo hago
87. Justa desigualdad

56. El vórtice de la perspectiva total

Ian Ferrier llevaba años soñando con fabricar el vórtice de la perspectiva total. Pero ahora, mientras se disponía a probarlo, se preguntaba si todo aquel empeño no sería un terrible error.

La máquina, de la que oyó hablar por vez primera en un programa radiofónico de ciencia ficción de finales del siglo XX, le permitiría descubrir a quien entrase en ella su auténtico lugar en el universo. La idea de la ficción original era que, a quien utilizara la máquina, se le antojaría tan abrumador el hecho de su propia insignificancia que destruiría su alma.

Ferrier había hecho algo de trampas al fabricar la máquina: todo el mundo vería lo mismo, pues, argüía, todos somos más o menos igual de insignificantes. Pero, a lo largo del proyecto, se había ido convenciendo de que la máquina no destruiría en absoluto su alma. Al igual que el Sísifo de Camus, condenado a empujar cuesta arriba sin cesar una roca para volver a verla rodando cuesta abajo, él también sería capaz de enfrentarse a su insignificancia y salir victorioso.

Y, sin embargo, ahora que estaba a punto de probarla, su temor no era poco. ¿De veras sería capaz de aceptar su pequeñez infinitesimal en el gran orden de las cosas? Sólo había una forma de averiguarlo...

Fuente: *The Restaurant at the End of the Universe*, de Douglas Adams (Pan Books, 1980) (trad. cast.: *El restaurante del fin del mundo*, Barcelona, Anagrama, 2005).

Como experimento mental, el vórtice de la perspectiva total resulta contradictorio. Por una parte, nos invita a imaginar qué sucedería si entráramos en el vórtice, pero, por la otra, la clave del hipotético dispositivo está en que no podemos imaginar lo que nos mostrará.

No obstante, sigue teniendo interés considerar los efectos que podría producir el vórtice. En *Guía del autoestopista galáctico*, la fuente de la idea del vórtice, una persona logra sobrevivir a la experiencia. Zaphod Beeblebrox sale tranquilamente diciendo que la máquina le había mostrado qué «tipo tan grande y tan estupendo» era. Pero no sabemos a ciencia cierta si Beeblebrox ha sobrevivido realmente a la máquina o si lo que ha visto le ofreció una imagen distorsionada de su relevancia.

¿Podría haber sobrevivido a la realidad? ¿Por qué no? Pensemos lo que significa que algo tenga valor o relevancia. Sólo es cuestión de emplear la escala apropiada. Lo que es importante en el contexto de una amistosa partida de golf no importa ni un ápice en un torneo internacional. Lo que sucede en el Abierto de Estados Unidos resulta irrelevante en el contexto de la historia humana. Y lo que ocurre en la Tierra es insignificante en el contexto del universo entero. Todo esto es cierto, pero no demuestra que la única medida verdadera de la importancia o el valor de algo sea su impacto en el universo en su conjunto. Cabe alegar que juzgar nuestra vida de esa manera, sucumbiendo así al vórtice, supone medir nuestra vida con la regla equivocada.

Consideremos también cuánto depende del color del cristal con que se mira. Zaphod Beeblebrox tiene un ego enorme. Al enfrentarse al vórtice, ¿ve realmente lo que otros ven? Allí donde otros se desesperan ante su infinitesimal pequeñez, ¿no se maravilla él de su importancia en relación con su tamaño?

Aquí es donde la idea del vórtice comienza a perder su coherencia. Supuestamente muestra nuestra relevancia, pero no muestra hechos que la acrediten. Podemos mostrar la importancia de alguien para un propósito particular, como hacen las clasificaciones de los mejores jugadores en el deporte profesional estadounidense. Pero hay muchas maneras de determinar nuestra importancia y no hay modo objetivo de decir cuál debería valer. Pensemos en los que renuncian a la fama y a la fortuna para estar con la persona a la que aman y que les ama. ¿Qué les importa que, en el gran orden de las cosas, su amor no valga nada? Para ellos lo vale todo y con eso basta.

Véase también

20. Condenada a vivir
51. Vivir en una cubeta
54. El yo escurridizo
62. Pienso, ¿luego?

57. Comerse a Tiddles

«Quien guarda halla», era el lema de Delia. Sentía un gran respeto por el ahorro de la generación de sus padres, personas que habían vivido la guerra y casi toda su vida con relativamente poco. Había aprendido mucho de ellos, destrezas que casi nadie de su generación tenía, como despellejar un conejo y preparar platos sencillos y sabrosos con los despojos.

Un día, cuando oyó un frenazo fuera de su casa en Hounslow y salió para descubrir que a Tiddles, el gato de la familia, le había atropellado un coche, sus primeros pensamientos no sólo fueron de tristeza sino también cuestiones prácticas. El felino había recibido un golpe pero no había quedado aplastado. En efecto, era un pedazo de carne a la espera de que se lo comiesen.

El fuerte estofado de carne que cenaba su familia esa noche era de una clase difícil de encontrar ya en muchas mesas británicas, pero la familia de Delia estaba acostumbrada a comer trozos de carne que ya no estaban de moda. Le había contado a su marido lo que había ocurrido, por supuesto, y había sido franca en todo momento con sus hijos. Con todo, la más pequeña, Maisie, comía de mala gana y fulminaba de vez en cuando a su madre con miradas acusadoras por encima de su plato humeante. Delia la comprendía, pero la niña no tenía motivos para pensar que había hecho algo malo.

Fuente: «Affect, culture and morality, or is it wrong to eat your dog?», de Jonathan Haidt, Silvia Helena Koller y Maria G. Dias, *Journal of Personality and Social Psychology*, n° 65 (1973).

El tabú es muy poderoso. En Occidente, como en la mayor parte del mundo, la mayoría de la gente come carne sin escrúpulos morales. A veces comemos carne de animales criados en condiciones terribles. Algunos animales de granja, como los cerdos, son más inteligentes que muchos animales domésticos.

Pese a todo, comer ciertos tipos de carne se considera repulsivo. Muchos británicos creen que comer caballos o perros es una barbaridad, mientras que los musulmanes británicos piensan que lo repugnante es comer cerdo. Y comer animales domésticos se considera especialmente repugnante. El conejo estofado es perfectamente aceptable, siempre que no se trate del conejo al que pusimos un nombre y metimos en una jaula.

¿Existe algún fundamento moral para estos juicios, o se trata de meras reacciones reflejas culturalmente condicionadas? Suponiendo que no seamos vegetarianos por motivos éticos, en cuyo caso estaría mal comer toda clase de carne, cuesta ver las dimensiones morales de estas prácticas. Y, en el caso de Delia, puede ser *más* moral comerse el gato de la familia. A fin de cuentas, sí que nos parece inmoral derrochar recursos deliberadamente cuando hay tantos pobres en el mundo. Así pues, si no es malo comer carne y disponemos de una fuente de carne, lo que estaría mal sería desecharla, no comérsela. Desde esta perspectiva, Delia es una especie de heroína moral, capaz de las hazañas que la mayoría no tiene el valor de realizar. Cabría objetar que comerse un animal doméstico supone traicionar la confianza en la que se basaba la relación con éste. No podemos pasar sin más de amigos y protectores a pragmáticos granjeros. Esto no sólo entraña dificultades psicológicas, sino que mina las bases de las relaciones entre humanos y animales.

No obstante, no es difícil imaginar una cultura en la que comerse a los animales domésticos, o incluso a los amigos, se vea como la culminación lógica de una relación. En la trilogía de Philip Pullman *La materia oscura*, el oso acorazado Iorek rinde honores a su amigo muerto Lee Scoresby comiéndoselo. Aunque la mayoría de los lectores de sus libros son niños, Pullman dice que no parecen tener problemas para aceptar esto con naturalidad.

Puede que la cuestión de si un animal es un amigo o un alimento plantee una falsa dicotomía. No sólo es moralmente aceptable comerse los animales domésticos, sino que no hacerlo supone un derroche injustificado.

VÉASE TAMBIÉN

58. Mandato divino

Y el Señor le dijo al filósofo: «Yo soy el Señor, tu Dios, y te ordeno que sacrifiques a tu único hijo».

El filósofo respondió: «Eso no está bien. Tus mandamientos dicen "No matarás"».

«El Señor pone las reglas y el Señor las quita», replicó Dios.

«Pero ¿cómo sé que eres Dios? —insistió el filósofo—. Tal vez seas el demonio, que intenta engañarme.»

«Has de tener fe», contestó Dios.

«¿Fe o locura? Quizá mi mente me está tendiendo una trampa. O puede que me estés poniendo a prueba con astucia. Quieres ver si tengo tan poca estatura moral que, a la orden de una voz grave que resuena a través de las nubes, cometo infanticidio.»

«¡Alabado sea yo! —exclamó el Señor—. Lo que estás diciendo es que es razonable que tú, un mero mortal, rehúses hacer lo que yo, el Señor, tu Dios, te ordeno.»

«Sospecho que sí —dijo el filósofo—, y no me has dado buenas razones para cambiar de parecer.»

Fuente: Frygt og Baeven, de Søren Kierkegaard (1843) (trad. cast.: Temor y temblor, Madrid, Alianza, 2005).

En el libro del Génesis, Dios encontró un siervo más sumiso en Abraham, que siguió adelante con la orden de sacrificar a su hijo hasta el último minuto en que, cuchillo en mano, un ángel le impidió proseguir. Desde entonces se viene proponiendo a Abraham como paradigma de la fe.

¿En qué diablos estaba pensando Abraham? Supongamos que creía firmemente en Dios y que Dios existe (no se trata de una crítica atea de sus acciones). Abraham recibe entonces instrucciones de matar a su hijo. Pero ¿no estaría loco si cumpliese la orden? Todos los problemas planteados por el filósofo pueden aplicarse a nuestra versión de la historia. Podría no ser Dios quien habla, sino el diablo; Abraham podría estar loco; la prueba podría consistir en ver si se niega. Las tres posibilidades parecen más plausibles que la idea de que Dios quiere a su hijo muerto, pues ¿qué clase de Dios amoroso ordenaría un acto tan cruel?

En el libro del Génesis, los personajes humanos parecen tener una relación mucho más directa con su creador que los creyentes actuales. Dios habla a las personas como Abraham como si estuviesen sentados literalmente uno al lado del otro. En semejante mundo, no se cuestionaría la identidad del ser que ordena el asesinato. En nuestro mundo, nadie puede estar tan seguro de haber oído de veras la palabra de Dios. E incluso si lo estuviera, persiste la incertidumbre de si la prueba tiene por objeto ver si Abraham se negaría.

Entonces, si estamos realmente ante una historia sobre la naturaleza de la fe, ¿cuál es su mensaje? No es simplemente que una persona de fe cumplirá las órdenes de Dios, por desagradables que éstas sean. Es que una persona de fe nunca puede saber a ciencia cierta qué manda Dios. La fe no entra en escena sólo cuando se trata de actuar; la fe se requiere ante todo para creer pese a la falta de pruebas. De hecho, la fe necesita a veces que el devoto vaya más allá de lo evidente y crea lo contrario de todo lo que previamente consideraba justo y verdadero; por ejemplo, que Dios no aprueba el asesinato injustificado.

Ésta no es la fe que suele predicarse desde los púlpitos. Esa fe es una roca firme que ofrece al creyente una suerte de tranquila certeza interior. Pero, si Abraham estaba dispuesto a matar a su hijo amparándose con serenidad en su fe, no podría haberse percatado del riesgo que asumía con su salto de fe.

Si aún no están convencidos, piensen por un instante en las personas que creen que Dios desea que se conviertan en terroristas suicidas, que asesinen a las prostitutas o que persigan a una minoría étnica. Antes de decir que Dios jamás ordenaría maldades semejantes, recuerden que el Dios de las tres fes abrahámicas no sólo ordenó el sacrificio de Isaac, sino que también perdonó la violación de una esposa como castigo al marido (II Samuel, 12), ordenó matar a los seguidores de otras religiones (Deuteronomio, 13) y sentenció a los blasfemos a morir lapidados (Levítico, 24). Parece que no hay límites para lo que Dios podría pedir y algunas personas de fe realizar.

VÉASE TAMBIÉN

Si pudieras ver el mundo con los ojos de otro, ¿qué verías? Esta pregunta había cesado de ser hipotética o metafórica para Cecilia. Acababa de probar la extraordinaria U-View (Universal Visual Information Exchange Web [Red universal de intercambio de información visual]). Esta red permitía que una persona se conectase a otra de tal manera que veía exactamente lo que esa otra persona veía y tal como lo veía.

Se trataba de una experiencia extraordinaria para cualquiera, pero a Cecilia le resultó más asombrosa todavía. Cuando vio el mundo como lo veía su amigo Luke, fue como si el mundo se hubiera vuelto del revés. Para Luke, los tomates eran del color que ella conocía como azul. El cielo era rojo. Los plátanos pasaban del amarillo al verde al madurar.

Cuando en U-View oyeron hablar de la experiencia de Cecilia, la sometieron a nuevas pruebas. Resultó que veía el mundo con lo que denominaban un espectro invertido: en cada color veía el complementario del que veían los demás. Pero, por supuesto, como las diferencias eran sistemáticas, de no ser por el sistema U-View nadie lo habría sabido jamás. Después de todo, describía correctamente los tomates como rojos, como cualquier otra persona.

¿Podría ser que usted viese el mundo como Cecilia? Si yo pudiera ver a través de sus ojos, ¿pensaría que, para usted, el sol poniente es azul? Posiblemente no podamos saberlo. Vea como vea usted el mundo, siempre que su sistema sensorial cromático sea tan regular como el mío, nada de lo que digamos o hagamos podría revelar jamás las diferencias. Para ambos el verde sería el color de la hierba, la lechuga, los guisantes y la tinta del billete de un dólar. Las naranjas serían de color naranja, los pesimistas lo verían todo negro y los glotones se pondrían morados.

La precisión con la que usamos los nombres de los colores viene enteramente determinada por la referencia a objetos públicos, no a experiencias privadas. No hay manera de situarse detrás de sus ojos para ver cómo es en realidad el azul para usted. No puedo por menos de suponer que, dada nuestra similar constitución biológica, no hay mucha diferencia entre nuestras respectivas visiones de un cielo claro de verano.

Cabría preguntarse cómo es posible entonces saber que alguien es daltónico. La respuesta confirma más que debilita la idea de que las Cecilias de este mundo pasarían inadvertidas entre nosotros. El daltonismo se manifiesta por la incapacidad de discriminar entre dos colores que quienes poseen una visión cromática completa perciben como claramente distintos. Así, por ejemplo, el rojo puede no destacar sobre un fondo verde, como destaca para la mayoría. Las pruebas que revelan esto no acceden a las experiencias privadas de la experiencia sensorial. Simplemente determinan la capacidad de las personas de emitir juicios públicos sobre las diferencias cromáticas. Así pues, siempre que alguien sea capaz de discriminar las diferencias de color como los demás, ignoraremos cualquier variación en su percepción real de los colores comparada con la nuestra.

El hecho de que los demás podrían ver el mundo de manera diferente a nosotros (o sentirlo diferente al oído, al olfato, al gusto o al tacto) es poco más que una duda escéptica fascinante. Más interesante resulta acaso lo que nos sugiere esta posibilidad sobre el uso del lenguaje y sobre el significado de las palabras que describen nuestra vida mental. En resumidas cuentas, parece que una palabra como «rojo» no describe una sensación visual particular, sino simplemente una regularidad en el mundo que se corresponde con una regularidad en nuestro modo de verlo. Cuando decimos que un tomate es rojo, la palabra «rojo» no se refiere entonces a un color que percibimos, sino a una característica del mundo que puede parecer muy diferente a otros. Esto significa que, cuando Cecilia y Luke dicen que el cielo es azul, ambos tienen razón, aunque lo que ven sea muy diferente.

Si esto sucede con los colores, ¿sucede también con otras cosas que solemos considerar internas y privadas? ¿Es «dolor» una sensación o un tipo de respuesta a una sensación? ¿Me equivoco al pensar que, cuando hablo de mi dolor de cabeza, me estoy refiriendo a la desagradable sensación en mi cabeza? ¿Se vuelve así del revés el lenguaje de la mente?

VÉASE TAMBIÉN

60. Haced lo que yo digo, no lo que yo hago

Irena Jano estaba preparando su conferencia sobre el impacto de los vuelos en el calentamiento global. Le explicaría a su auditorio que los vuelos comerciales lanzan en un año a la atmósfera más CO_2, el gas que más contribuye al efecto invernadero, que toda África. Les diría luego que un vuelo de larga distancia es más contaminante que doce meses viajando en coche. Si queremos salvar la Tierra, concluiría, hemos de esforzarnos en reducir el número de vuelos que cogemos y animar a la gente a viajar menos o a emplear otros medios de transporte.

Justo cuando imaginaba la entusiasta recepción de su conferencia, la interrumpió la azafata que le ofrecía vino. ¿Hipocresía? Jano no lo veía así. Sabía perfectamente que el impacto de sus propios vuelos en el medio ambiente era insignificante. Si se negaba a volar, el calentamiento global no se aplazaría ni un segundo. Lo que hacía falta era un cambio mayoritario y un cambio de política. Su trabajo, que implicaba volar por el mundo haciendo estas recomendaciones, podría ser parte de la solución. Negarse a volar no pasaría de ser un gesto vano.

Entonces se dispuso a ver en su monitor la película *El día de mañana*.

Resulta reconfortante pensar que «muchos pocos hacen un mucho», pero ¿es eso cierto? Depende de cómo lo veamos. Por ejemplo, si cada británico diese una libra para una campaña benéfica, juntos sumarían 56 millones de libras. Nadie habría hecho mucho individualmente, pero colectivamente habrían recaudado una enorme suma. Pero, por otra parte, si todas las personas hacen su donación menos una y el total recaudado es de 55.999.999 libras, la libra que esta persona se niega a donar no será relevante para el uso que quepa hacer del dinero.

Es perfectamente racional concluir que mi contribución es insignificante, luego no importa si la hago o no, pero también que sería realmente importante si todos razonásemos de la misma manera. ¿Se trata de una paradoja o son conciliables ambos pensamientos?

Jano cree que lo son. Lo que hemos de hacer es persuadir a un gran número de personas de que su contribución sí que es importante. Si un número suficiente de ellas cree erróneamente que así es, obtendremos el resultado favorable deseado. Esto viene a ser un programa de engaño honorable. Lo que sirve es el esfuerzo colectivo, no el individual. Pero, a menos que creamos que el esfuerzo individual es importante, no seremos capaces de reunir el colectivo.

En este razonamiento hay algo muy poco convincente, pero es difícil detectar algún error lógico. ¿Por qué nos parece entonces erróneo?

Un posible motivo es que, pese a la conciencia tranquila de Jano, nos parece una hipócrita porque hace lo contrario de lo que nos pide que hagamos. Pero esto no demuestra que su razonamiento sobre el impacto de los esfuerzos individuales sea incorrecto. Su justificación para volar puede ser perfectamente racional si sólo le preocupa salvar el planeta. Sin embargo, podría estar mal por un motivo totalmente diferente, a saber, que está mal hacer lo que les decimos a los demás que no deberían hacer. Así, la razón por la que está mal que vuele no tiene nada que ver con el medio ambiente y sí con el imperativo ético de aplicar las mismas reglas a nuestra conducta que a la ajena.

Esto parece resolver la aparente paradoja. Es cierto que, colectivamente, nuestra afición a volar resulta perjudicial: todas las pequeñas emisiones se suman. No menos cierto es que el impacto de los vuelos individuales es insignificante: las pequeñas emisiones individuales carecen de importancia. Pero también es verdad que, si abogamos por una política de reducción de emisiones, no podemos hacer excepciones con nosotros mismos. No deberíamos criticar a Jano por destruir el planeta sino por no seguir el consejo que les da a los demás. A menos que se nos antoje perfectamente razonable la exhortación: «Haced lo que yo digo y no lo que yo hago».

Véase también

61. Luna de mozzarella

La luna está hecha de queso, de mozzarella para ser exactos. Al decir esto puedo haber firmado mi sentencia de muerte. Verán, es que ellos no quieren que lo sepamos. Dirán que estoy loco. Pero, como dijo Kurosawa, «En un mundo loco, sólo los locos están cuerdos».

«Pero los hombres han andado por la luna», dirán ustedes. Falso. Fue todo una impostura filmada en un estudio por la NASA. ¿No han visto la película *Capricornio Uno*? De no ser por los abogados, se habría anunciado como un documental.

«Pero se han hecho viajes no tripulados a la luna.» También eran imposturas en su mayoría. Los pocos auténticos fueron los que trajeron muestras que confirmaban la teoría de la mozzarella. Pero ni que decir tiene que se han eliminado las pruebas.

«Pero podemos observar la luna con telescopios.» En efecto, pero ¿creen que cabe deducir de estas observaciones si la luna es roca dura o queso blando?

«Pero, si fuera así, se habría sabido.» ¿Preferirían ustedes guardar silencio, tal vez a cambio de una generosa suma, o que les matasen o les tomasen por locos?

Piénsenlo: ¿cómo podría seguir con vida Elvis allí arriba si no dispusiera de unas reservas interminables de queso?

¡Menuda locura!, ¿verdad? Pero ¿qué hay del 20% de estadounidenses que creen que los alunizajes nunca tuvieron lugar? ¿También están locos? Si no lo están, ¿por qué su creencia es sensata, por más que errónea, y la hipótesis de la luna de mozzarella es un auténtico disparate?

Las teorías de la conspiración son posibles en virtud de dos limitaciones de la formación del conocimiento. La primera es lo que cabría denominar naturaleza holística de la comprensión: cualquiera de nuestras creencias está conectada con otras muchas en una especie de red.

Así, por ejemplo, nuestra creencia de que el helado engorda está conectada con nuestras creencias relativas al contenido calorífico del helado, la conexión entre consumo de grasa y aumento de peso, la fiabilidad de la ciencia nutricional, etc.

La segunda limitación es lo que pomposamente se conoce como la infradeterminación de la teoría por los datos. En términos sencillos, esto significa que los hechos nunca proporcionan pruebas suficientes para demostrar de forma concluyente una teoría y sólo una. Siempre queda una laguna, la posibilidad de que resulte cierta una teoría alternativa. Por eso en los tribunales se subraya que sólo hay pruebas más allá de toda «duda razonable». La prueba más allá de *toda* duda es imposible.

Si combinamos ambas limitaciones, se abren las puertas a las más estrafalarias teorías de la conspiración. Hay indicios abrumadores de que la luna es una masa rocosa, pero las pruebas no nos *obligan* a alcanzar esta conclusión. Las lagunas en los datos implican que las pruebas pueden resultar compatibles incluso con la hipótesis de que la luna está hecha de queso. Todo lo que necesitamos hacer es reorganizar todas las restantes creencias interconectadas que urden el entramado de nuestra comprensión para hacerlas encajar. De ahí la necesidad de volver a evaluar la efectividad de los microscopios, el alcance de la corrupción y la veracidad de los alunizajes.

A ciencia cierta, puede que el resultado sea de lo más delirante. Pero lo esencial es que *encaje con los datos*. Esto es lo que lleva a tanta gente a sucumbir al hechizo de las teorías de la conspiración (y otras extravagantes ideas sobre la naturaleza del universo). El hecho de que «todo encaje» parece ser una razón poderosa para creer. Pero encaja un sinfín de teorías, incluida la idea de que la luna está hecha de queso.

Así pues, ¿qué es lo que hace una teoría mejor que otra? ¿Por qué es razonable la teoría de la evolución y en cambio es absurda la teoría de que los alunizajes eran puros montajes? La respuesta no es fácil, lo cual quizás explica en parte por qué casi la mitad de los estadounidenses piensan que la teoría de la evolución también es una tontería. Todo lo que cabe decir es que la mera conformidad con los datos no basta para que una teoría sea racionalmente convincente. Si creemos tal cosa, también podemos aceptar que Elvis está orbitando alrededor de nosotros en un cielo de mozzarella.

VÉASE TAMBIÉN

62. Pienso, ¿luego?

Me llamo René. Recuerdo haber leído en cierta ocasión que si de algo puedo estar siempre seguro es de que, mientras estoy pensando, existo. Si yo, David, estoy pensando en este momento, debo existir para que prosiga el pensamiento. Esto es cierto, ¿no? Puedo estar soñando o puedo estar loco, o tal vez no viva en Taunton, pero, mientras estoy pensando, sé que Lucy (o sea, yo) existe. Esto me parece reconfortante. Mi vida en Múnich puede ser muy estresante y saber que puedo estar seguro de la existencia de mi yo me brinda una cierta confianza. Al recorrer cada mañana los Campos Elíseos, me sorprendo a menudo preguntándome si existe el mundo real. ¿De veras vivo en Charlottesville, tal como pienso? Mis amigos me dicen: «¡Madeleine, te vas a volver loca con tus especulaciones!». Pero yo no creo estar chiflada. He hallado la certeza en un mundo incierto. *Cogito ergo sum.* Yo, Nigel, pienso, luego soy, en efecto, Cedric.

Fuentes: Discours de la méthode, de René Descartes (1637) (trad. cast.: *Discurso del método*, Madrid, Tecnos, 2006); *Schriften und Briefe*, de G. C. Lichtenberg (Carl Hanser Verlag, 1971).

¿Es coherente este monólogo? En cierto sentido claramente no lo es. El hablante no cesa de cambiar de nombre y se va contradiciendo cuando dice dónde vive. Aparentemente es un lío.

No obstante, en un sentido importante es completamente coherente. Más concretamente, es totalmente consecuente con la verdad del «Pienso, luego existo». René Descartes, el primero en hacer esta afirmación, quiso establecer así la existencia de un alma o yo inmaterial. Pero sus críticos han aducido que, al hacerlo, afirmaba más de lo que su argumento había demostrado. Nuestro extraño monólogo muestra por qué.

La clave estriba en que la certeza que logramos con el «Pienso, luego existo» sólo afecta al momento en que se piensa. Es cierto, en efecto, que para que exista un pensamiento ha de existir un pensador. Pero la certeza momentánea no demuestra que exista el mismo pensador a lo largo del tiempo, ni que sea el mismo que tuvo un pensamiento hace unos minutos. En efecto, es compatible con el hecho de que el pensador cobre existencia sólo durante el tiempo que tarde en tener dicho pensamiento.

Así hemos de interpretar el monólogo. No son las palabras de un yo único y continuo, sino una serie de pensamientos de una sucesión de yoes, que se turnan para ocupar la posición del hablante. No tenemos por qué verlo como algo misterioso. Pensemos más bien en alguien con un trastorno agudo de personalidad múltiple. Las diferentes personalidades se turnan en rápida sucesión en el control de la función vocal. En el instante en que cada una de ellas dice «Yo pienso, luego existo», lo que dicen es absolutamente cierto. Ahora bien, en cuanto lo dicen, desaparece el «yo» cuya existencia resultaba tan incontrovertible. Quizá podría darse incluso la situación presentada en la última oración, en la que un segundo «yo» completa el pensamiento del primero.

Dado que la mayoría de nosotros no tenemos múltiples personalidades, ¿qué importancia tiene esto para nosotros? El monólogo pretende poner de manifiesto que las célebres palabras cartesianas demuestran mucho menos de lo que solemos admitir. El hecho de que pensemos puede mostrar que existimos, pero nada nos dice sobre la clase de cosa que somos, ni tampoco si seguimos existiendo como la misma persona a lo largo del tiempo. Por la certeza lograda con el *cogito ergo sum* hemos de pagar un alto precio: la plena incertidumbre una vez que superamos el instante en el que transcurre el pensamiento.

VÉASE TAMBIÉN

63. A saber

Fue una extraña coincidencia. La semana pasada, mientras Naomi pagaba su café, al hombre que tenía detrás se le cayó un llavero al hurgar en sus bolsillos. Naomi lo recogió y reparó en el conejito blanco que colgaba de él. Cuando se lo devolvió al hombre, que tenía un rostro anguloso y pálido muy característico, éste le dijo algo avergonzado: «Lo llevo a todas partes. Motivos sentimentales». Se ruborizó y no hablaron más.

Al día siguiente, se disponía a cruzar la calle cuando oyó un frenazo y luego un inquietante golpe sordo. Casi sin pensar, se vio arrastrada entre el gentío hasta el lugar del accidente, como las limaduras de hierro atraídas por un imán. Miró para ver quién era la víctima y vio ese mismo rostro blanco y anguloso. «Está muerto», dijo el médico que lo examinaba.

Le hicieron prestar declaración a la policía. «Todo lo que sé es que ayer tomó un café en el bar y que siempre llevaba un llavero con un conejo blanco.» La policía pudo confirmar la veracidad de ambos datos.

Cinco días más tarde, Naomi casi dio un grito cuando, en la cola de la caja del bar, descubrió detrás de ella al que parecía el mismo hombre. Él se percató de su asombro pero no pareció sorprenderse. «Me confundió usted con mi hermano gemelo, ¿verdad?», —preguntó. Naomi asintió con la cabeza. «No es usted la primera persona que reacciona así desde el accidente. El hecho de que ambos vengamos a este bar, aunque normalmente por separado, no facilita las cosas.»

Mientras él hablaba, Naomi no pudo evitar fijar la mirada en lo que tenía en las manos: un conejo blanco en un llavero. El hombre tampoco se sorprendió por esto. «Ya sabe cómo son las madres. Les gusta tratar a sus hijos por igual.»

A Naomi le pareció desconcertante toda aquella experiencia. Pero la pregunta que le inquietaba cuando al fin se serenó era si le había dicho la verdad a la policía.

Fuente: «Is Justified True Belief Knowledge?», de Edmund Gettier, reeditado en *Analytic Philosophy: An Anthology*, compilado por A. P. Martinich y D. Sosa (Blackwell, 2001).

Lo que Naomi le dijo a la policía era: «Todo lo que sé es que ayer tomó un café en el bar y que siempre llevaba un llavero con un conejo blanco». Ambos hechos resultaron ser ciertos. Pero ¿tenía razón al decir que *sabía* que eran ciertos?

Muchos filósofos han argüido que el conocimiento requiere tres condiciones. Para saber algo, lo primero es creer que es verdad. No podemos *saber* que Roma es la capital de Italia si *creemos* que es Milán. En segundo lugar, lo que creemos ha de ser cierto. No podemos saber que Milán es la capital de Italia si es Roma. En tercer lugar, nuestra creencia verdadera debe estar justificada de algún modo. Si por lo que sea creemos, sin mayor motivo, que Roma es la capital de Italia, y resulta que estamos en lo cierto, no deberíamos decir que lo sabíamos; fue un mero acierto.

Naomi tenía dos creencias verdaderas acerca del hombre muerto y parecía justificado mantenerlas. Pero parece que no sabía en realidad que eran verdaderas. Sí que sabía que el hombre tenía un hermano gemelo que llevaba un llavero idéntico. Por tanto, si el muerto hubiera sido el gemelo del hombre al que había visto en el bar, y si éste no hubiera acudido al bar el día anterior ni hubiera llevado el mismo llavero, ella habría seguido afirmando que sabía esas mismas dos cosas sobre él, sólo que entonces habría estado equivocada.

Para que nos hagamos una idea de lo poco que realmente sabía, incluso ahora desconoce si el hombre que vio en el bar el día anterior al accidente era el gemelo que murió en el accidente o el que vio en el bar días después. No tiene ni idea de cuál es cuál.

La solución obvia a este problema parece ser que necesitamos tornar más rigurosa la idea de justificación. Naomi no sabía por qué su justificación para afirmar que conocía los dos hechos relativos al muerto no era lo bastante sólida. Pero, si esto es cierto, hemos de exigir que el conocimiento reúna condiciones muy estrictas para la justificación de las creencias en general. Y eso implica que descubriremos que casi todo lo que creemos saber carece de la suficiente justificación para ser considerado conocimiento. Si Naomi no sabía realmente lo que creía saber

sobre el hombre muerto, entonces nosotros tampoco sabemos en realidad mucho de lo que creemos saber.

VÉASE TAMBIÉN

    1. El genio maligno
    3. El indio y el hielo
  40. El caballito ganador
  76. A la Red de cabeza

64. Cortar por lo sano

El presidente bajó la voz y dijo: «Lo que está sugiriendo es ilegal».

«En efecto, señor presidente —respondió el general—. Pero debe preguntarse cuál es la mejor forma de proteger la vida de sus ciudadanos. La situación es simple: Tatum está decidido a organizar una campaña de limpieza étnica en su propio país y a lanzar ataques militares contra nosotros. Nuestros servicios de inteligencia nos dicen que es prácticamente el único que defiende estos planes y que, si le eliminásemos, le sustituiría Nesta, que es mucho más moderado.»

«Sí, pero usted propone que le eliminemos. El asesinato de un líder extranjero atenta contra el derecho internacional.»

El general suspiró. «Pero, señor presidente, fíjese en lo simple que es su elección. Una bala, seguida por unas cuantas más en la posterior limpieza a cargo de los servicios de seguridad, bastará para evitar una masacre general y una probable guerra. Me consta que no quiere mancharse las manos con la sangre de un líder extranjero, pero ¿preferiría acaso ahogarse en la sangre de miles de personas de aquí y de allá?»

La moral es una autoridad superior al derecho. Por eso aprobamos la desobediencia civil cuando las leyes del Estado son manifiestamente injustas y no hay manera legal de oponerse a ellas. Podríamos discrepar sobre qué acciones concretas estaban justificadas en la lucha del Congreso Nacional Africano contra el *apartheid*, pero la idea de que Sudáfrica ofrecía muchas oportunidades para las protestas legales por parte de los negros del país resulta grotesca.

No es difícil imaginar situaciones en las que lo correcto es transgredir la ley. Es más importante salvar vidas que respetar los límites de velocidad. No deberíamos dejar de perseguir a un criminal peligroso para evitar entrar ilegalmente en algún sitio. Es preferible robar a morir de hambre.

Si aceptamos esto, el mero hecho de que lo que le piden hacer a nuestro presidente sea contrario al derecho internacional no resuelve el problema de si debería seguir adelante. La pregunta es, más bien, si las circunstancias son tan serias que no hay forma de evitar un resultado terrible sin recurrir a actos ilegales.

Si los cálculos presentados por el general son correctos, el asesinato parecería estar justificado. Por recurrir a un trillado ejemplo, si supiéramos lo que acabaría haciendo Hitler, ¿le habríamos matado cuando era joven? En caso contrario, ¿por qué valoramos su vida más que la de los seis millones asesinados en el Holocausto y de las innumerables víctimas de sus guerras?

No obstante, como puso de manifiesto el derrocamiento de Sadam Husein, el problema es que los servicios de inteligencia distan de ser infalibles. Lo cierto es que, aunque en retrospectiva podríamos desear haber actuado antes, nunca podemos saber a ciencia cierta lo que nos deparará el futuro. El asesinato podría evitar la limpieza étnica y la guerra. Por otra parte, podría incrementar el malestar, o sencillamente dejar que otros ordenasen la matanza. Debemos respetar la ley de las consecuencias no deseadas.

Pero el presidente no puede permitirse el lujo de encogerse de hombros y decir «Lo que haya de ser será». La tarea del político consiste en tomar decisiones basadas en la mejor estimación posible de las circunstancias presentes y futuras. El hecho de que los cálculos puedan fallar no es excusa para la inacción. Las decisiones jamás se basan en la certeza absoluta sino en la probabilidad.

Así pues, persiste el dilema. Si Tatum no es asesinado y se cumplen las predicciones, sería una débil defensa para el presidente decir: «Sí, sabía que era probable pero no podía estar seguro, así que me crucé de brazos». Al mismo tiempo, no puede incumplir cada dos por tres las leyes internacionales sobre la base de informaciones potencialmente poco fiables. ¿Cómo tomar entonces una decisión en este caso particular? Con gran dificultad, desde luego.

VÉASE TAMBIÉN

65. El poder del alma

Fe creía en la reencarnación desde que alcanza a recordar. Pero recientemente su interés por sus vidas pasadas había llegado a un nuevo nivel. Ahora que estaba visitando a la médium Marjorie, tenía por primera vez información sobre sus vidas anteriores.

Casi todo lo que le contó Marjorie se refería a su previa encarnación como Zósima, una aristócrata que vivió en tiempos del sitio de Troya. Oyó hablar de su osada huida, primero a Esmirna y luego a Knossos. Al parecer era valiente y hermosa, y se enamoró de un comandante espartano con quien vivió en Knossos el resto de su vida.

Fe no trató de corroborar la historia de Marjorie cotejándola con la historia real de Troya. No dudaba de que la suya era la misma alma que había habitado en Zósima, pero no dejaba de preocuparle el significado de todo esto. Por mucho que le gustase la idea de ser una belleza griega, como no recordaba nada de su vida en Knossos ni tenía la sensación de ser la persona de la que le habló Marjorie, no veía cómo ella y Zósima podían ser la misma persona. Había descubierto cosas de su vida pasada, pero no le parecía en absoluto *su* vida.

Fuente: libro 2, capítulo XXVII de *An Essay Concerning Human Understanding*, de John Locke (5ª ed., 1706) (trad. cast.: *Ensayo sobre el entendimiento humano*, Barcelona, Folio, 2003).

En todo el mundo hay mucha gente que cree en varias formas de reencarnación o renacimiento. Hay un sinfín de razones para pensar que están equivocados. Supongamos, sin embargo, que sí tenemos un alma reencarnada. ¿Qué se seguiría de ello?

Ésta es la cuestión que intenta resolver Fe. Pese a lo sospechoso de la historia contada por Marjorie (¿por qué nuestras vidas pasadas siempre parecen ser las de personas interesantes y poderosas con vidas fascinantes?), Fe no cuestiona su veracidad. Lo que se pregunta es: si de veras tengo la misma alma que Zósima, ¿soy la misma persona que ella?

Fe responde intuitivamente que no. No tiene la sensación de ser la misma persona que Zósima. Esto no resulta sorprendente. Cuando nos observamos a nosotros mismos en el pasado (más que nuestro yo pasado), lo que nos hace sentirnos la misma persona es un cierto grado de conexión y continuidad psicológicas. Recordamos que éramos esa persona, que hacíamos las cosas que ella hacía, que creíamos en lo que ella creía, etc. También sentimos que nuestro yo actual surgió de esa persona.

Si nuestra alma habitó en otras personas en anteriores vidas, no estamos psicológicamente conectados con ellas. Marjorie necesita contarle a Fe lo que Zósima hacía y pensaba, pues Fe no recuerda haber sido Zósima; tampoco tiene la sensación de haber surgido de Zósima. Sin estas conexiones, ¿qué sentido tiene decir que Zósima y Fe son la misma persona, por más que compartan la misma alma?

Si estos pensamientos están bien encaminados, aun cuando tengamos un alma que sobreviva a la muerte corporal, eso no implica necesariamente que *nosotros* vayamos a sobrevivir a la muerte corporal. La existencia continuada del yo parece depender de la continuidad psicológica, no de una extraña sustancia inmaterial. La existencia continuada del alma no garantiza la existencia continuada del yo en mayor medida que la existencia continuada de un corazón u otro órgano.

Pero consideremos ahora lo que supone observar una fotografía de cuando éramos niños. Para saber cómo era esa persona, normalmente tenemos que preguntarle a alguien que por aquel entonces era adulto y lo recuerda: «¿Cómo era yo?», así como Fe le pregunta a Marjorie: «¿Cómo era yo en Troya?». Nuestros vínculos psicológicos con aquel niño pueden ser prácticamente inexistentes. ¿Significa eso que, en rigor, no somos la misma persona que nuestro yo infantil en mayor medida que Fe es la misma que Zósima?

VÉASE TAMBIÉN

66. El falsificador

Avenida de los álamos al amanecer estaba llamado a sumarse a las filas de las obras maestras de Van Gogh. Esta obra «perdida» se vendería por millones y generaría volúmenes de erudición que la compararía con los otros dos cuadros de la misma escena pintados por Van Gogh a diferentes horas.

Esto complacía a Joris van den Berg, ya que era él, y no Van Gogh, quien había pintado *Avenida de los álamos al amanecer*. Joris era un experto falsificador y estaba seguro de que su última creación se consideraría auténtica. Esto no sólo incrementaría enormemente su fortuna, sino que también le reportaría una tremenda satisfacción profesional.

Sólo unos cuantos amigos íntimos sabían lo que Joris estaba tramando. Uno de ellos le expresó recelos morales muy serios, de los que Joris hizo caso omiso. Para él, si ese cuadro se juzgaba tan bueno como un original de Van Gogh, entonces valía hasta el último penique que se pagase por él. Quien pagara más de lo que realmente valía *sólo porque* se trataba de un Van Gogh era tan estúpido que se merecía perder su dinero.

Puede parecer obvio que la falsificación no es precisamente una profesión virtuosa, porque implica inevitablemente un engaño. El falsificador sólo tiene éxito si logra engañar a la gente sobre la procedencia de su obra.

No obstante, el engaño no siempre es censurable. De hecho, a veces una mentira descarada puede ser justamente lo que exige la moralidad. Si un matón racista, resuelto a emplear la violencia, nos pregunta si sabemos dónde vive algún extranjero, haríamos mejor en alegar ignorancia, en lugar de dirigirle al número 23. Por consiguiente, lo que parece importante es si la mentira sirve a un propósito noble o vil, y cuáles son las consecuencias de más alcance del engaño.

El propósito del falsificador no parece demasiado noble: ganar mucho dinero para sus arcas. No obstante, incluso el artista genuino puede estar motivado al menos en parte por el deseo de ganar dinero; luego, esto por sí solo no resuelve la cuestión. Para evaluar el arte de la falsificación debemos ampliar nuestra perspectiva.

La historia imaginaria de Joris van den Berg sugiere una forma encomiable de defender su trabajo. Por decirlo pomposamente, el falsificador está realizando en realidad un servicio al recordarnos el verdadero valor del arte y al mofarse del modo en que el mercado del arte sustituye los valores estéticos por los económicos. La clave está en que el falsificador puede tener éxito por dos caminos: puede producir una obra tan buena como la del maestro al que copia, o puede producir una obra que se juzgue valiosa simplemente porque se considera obra de un célebre artista. Si la falsificación es efectivamente tan buena como la obra del artista reconocido, ¿por qué no valorarla en consecuencia? Si la falsificación no es tan buena, hemos de preguntarnos por qué se paga tanto por un producto inferior. ¿Podría ser porque los precios en el mercado del arte no vienen determinados por el mérito estético sino por la moda, la reputación y la celebridad? La firma de Van Gogh en una obra añade valor del mismo modo que el nombre de David Beckham incrementa el valor de una camiseta de fútbol. Si ésta es la verdad, entonces es absurdo objetar que un negocio tan mezquino pueda ser en modo alguno menos noble por obra de un falsificador.

Desde esta perspectiva, el falsificador puede verse como una suerte de artista guerrillero, que lucha por los auténticos valores de la creatividad en una cultura en la que el arte se ha degradado y mercantilizado. Cierto es que se trata de un impostor, pero ninguna guerra de guerrillas puede librarse en campo abierto. El sistema debe desmontarse desde dentro, pieza a pieza. Y la guerra sólo se ganará cuando cada obra de arte se juzgue por sus propios méritos, no en función de la firma de la esquina. A menos que alguien pueda ofrecer buenas razones para creer que la firma importa realmente...

VÉASE TAMBIÉN

67. La paradoja del *poppadom*

Puestos a hablar de los acontecimientos que transforman la vida, la llegada a la mesa del crujiente pan indio llamado *poppadom* no figura entre los más espectaculares. No obstante, a Saskia le causó una conmoción mental que alteraría profundamente su forma de pensar.

El problema era que el camarero que sirvió los *poppadoms* no era de ascendencia india, sino un anglosajón blanco. Esto incomodó a Saskia pues, para ella, uno de los placeres de salir a tomar algún plato al curry era la sensación de estar saboreando una cultura distinta. Si el camarero le hubiera servido un bistec y pastel de riñón, no habría resultado más inapropiado que su color de piel.

Cuanto más pensaba en ello, sin embargo, menos sentido tenía. Saskia se consideraba multiculturalista. Es decir, disfrutaba de la variedad de culturas que engloba una sociedad étnicamente plural. Pero su disfrute dependía de que otros siguiesen siendo étnicamente diferentes. Sólo podía disfrutar una vida a caballo entre culturas muy diversas si otros permanecían firmemente arraigados en una. Para ser multiculturalista, otros tenían que ser monoculturalistas. ¿En qué lugar quedaba su ideal de sociedad multicultural?

Saskia tiene motivos para sentirse incómoda. Hay un problema en el corazón del multiculturalismo liberal. Éste aboga por el respeto a otras culturas, pero lo que valora ante todo es la capacidad de trascender una cultura y valorar muchas. Esto impone una limitación fundamental al alcance de su respeto. La persona ideal es el multiculturalista que puede visitar una mezquita, leer libros sagrados hindúes y practicar la meditación budista. Quienes permanecen en el seno de una tradición no encarnan estos ideales, por lo cual, pese al discurso del «respeto», sólo pueden considerarse inferiores al multiculturalista de actitud abierta.

En esto hay algo de mentalidad de zoo. El multiculturalista quiere andar por ahí admirando diferentes maneras de vivir, pero sólo puede hacerlo si se preservan más o menos intactas diversas formas de vida. Las diferentes subculturas de la sociedad son, pues, como jaulas, y si entra o sale de ellas demasiada gente, pierden interés para que el multiculturalista las señale y sonría. Si todo el mundo fuese tan promiscuo culturalmente como ellos, habría menos diversidad genuina con la que deleitarse. Así pues, los multiculturalistas deben seguir siendo una élite, que actúa como un parásito en monoculturas internamente homogéneas.

Cabe alegar que es posible ser a la par multiculturalista y comprometido con una cultura particular. El paradigma sería el musulmán o cristiano devoto que, sin embargo, respeta profundamente otras religiones y sistemas de creencias, y siempre está dispuesto a aprender de ellos.

No obstante, la tolerancia y el respeto hacia otras culturas no son lo mismo que la valoración de todas las culturas más o menos por igual. Para el multiculturalista, el mejor punto de vista es aquel que ve virtudes en todo. Pero ni el cristiano, ni el musulmán ni el judío comprometido, ni siquiera el ateo, pueden creer sinceramente tal cosa. Puede darse la tolerancia o incluso el respeto a otras culturas, pero, si un cristiano creyera realmente que el islam es tan valioso como el cristianismo, ¿por qué habría de ser cristiano?

He aquí el dilema del multiculturalista. Puede haber una sociedad de muchas culturas en la que impere el mutuo respeto. Llamémoslo multiculturalismo si queremos. Pero, para defender un multiculturalismo que valore la diversidad misma y reconozca el mismo mérito a todas las culturas, tenemos que aceptar que quienes habitan en el seno de una sola cultura poseen una forma de vida inferior (lo cual parece atentar contra la idea de respeto hacia todas las culturas), o bien hemos de abogar por la erosión de las divisiones entre distintas culturas, de suerte que se valoren cada vez más las culturas ajenas (lo cual llevará a disminuir el tipo de diversidad que decimos valorar).

En nuestro ejemplo concreto, para que Saskia continúe disfrutando una diversidad de culturas, ha de confiar en que otros no abracen el multiculturalismo con la misma intensidad que ella.

VÉASE TAMBIÉN

68. Dolor loco

El accidente le causó a David una modalidad muy inusual de lesión cerebral. Si le arañaban, le pinchaban o le daban patadas, no sentía dolor. Pero si veía mucho amarillo, notaba sabor a roble, oía dar un do de pecho a un cantante de ópera, hacía un juego de palabras involuntario o tenía otras diversas experiencias aparentemente aleatorias, sentía dolor, a veces muy intenso.

No sólo eso, sino que esa sensación de dolor no le resultaba desagradable. Aunque no buscaba el dolor deliberadamente, tampoco se esforzaba por evitarlo. Y no manifestaba su dolor de la manera habitual, gritando o retorciéndose. Los únicos signos físicos del dolor de David eran todas las formas de espasmo involuntario: se le encogían los hombros, subía y bajaba las cejas en rápida sucesión o aleteaba con los brazos como un pollo.

El neurólogo de David, sin embargo, era profundamente escéptico. Se hacía cargo de que David ya no sentía dolor como antes, pero, lo que quiera que sintiese cuando veía «demasiado amarillo», no podía ser dolor. El dolor era, por definición, algo desagradable que la gente trataba de evitar. Quizá su lesión cerebral le había hecho olvidar la auténtica sensación de dolor.

Fuente: «Mad Pain and Martian Pain», de David Lewis, en *Readings in Philosophy of Psychology*, vol. 1, compilado por Ned Block (Harvard University Press, 1980).

Los filósofos de la mente son aficionados al dolor. Les fascina la naturaleza de la experiencia subjetiva y su relación con el conocimiento objetivo, y nada parece a la vez tan subjetivo y real como el dolor. Basta con preguntar a alguien que ha sufrido un agudo dolor de muelas. Al mismo tiempo, solemos detectar muy bien si alguien está sufriendo. A diferencia de otros procesos mentales, como pensar en los pingüinos, el dolor afecta a nuestra conducta externa así como a nuestra experiencia interna.

Por tanto, si queremos comprender lo que significa tener una experiencia subjetiva, el dolor es una buena materia de estudio. La historia del «dolor loco» de David es un intento de jugar con las variables asociadas con el dolor para ver cuáles son esenciales y cuáles secundarias. Las tres variables principales son las experiencias subjetivas privadas, las causas típicas y las respuestas conductuales. El dolor loco sólo tiene en común con el dolor ordinario la experiencia subjetiva; sus causas y efectos son muy diferentes. No obstante, si es acertado describir el dolor loco como dolor, deberíamos concluir que la esencia del dolor radica en la sensación subjetiva de estar sufriendo. Sus causas y efectos son meramente incidentales, y podrían ser diferentes de los que suelen ser.

El sentido común no es unívoco al respecto. Por un lado, parece obvio decir que el dolor es esencialmente una sensación subjetiva. Sólo los filósofos y los psicólogos sugerirían en serio que podría ser preferible describirlo en términos de estímulo-respuesta o de función cerebral. Pero, por otro lado, el sentido común también diría que una experiencia subjetiva de dolor que a uno no lo importase tener y que no causara agitación no sería dolor en absoluto. Esto significa que la historia de David es incoherente: pese a lo que declara, no puede estar sintiendo dolor alguno. Su neurólogo tiene motivos para el escepticismo. Y, después de todo, sólo tenemos la palabra de David. ¿Por qué deberíamos confiar en su capacidad de reconocer sus sensaciones internas como las mismas que tenía cuando se hacía daño antes del accidente?

No obstante, el quid de la cuestión está en la relación entre lo interno y lo externo. Parecería fácil decir que el dolor se define en función de las sensaciones de quien lo padece, y que está íntimamente conectado con comportamientos tales como la evitación y las muecas. Pero esta solución es demasiado precipitada. Si el dolor es de veras una sensación, ¿por qué habría de ser inconcebible experimentar el dolor sin alguna de estas conductas asociadas? No basta con decir que *debe* manifestarse de algún modo; necesitamos decir *por qué* debe hacerlo. Hasta que seamos capaces, el dolor loco sigue siendo una posibilidad.

VÉASE TAMBIÉN

69. El horror

«¡El horror!, ¡el horror!»

Muchos han especulado sobre lo que llevó al coronel Kurtz a proferir esas célebres palabras finales. La respuesta está en lo que descubrió justo antes de expirar. En ese momento, comprendió que el pasado, el presente y el futuro eran puras ilusiones. Ningún instante se pierde. Todo cuanto acontece existe para siempre.

Eso significaba que su inminente muerte no sería el fin. Su vida, una vez vivida, existiría siempre. Y así, en cierto sentido, la vida que había vivido sería vivida una y otra vez, en eterna repetición, cada vez exactamente igual y sin esperanza alguna de aprender, de cambiar, de rectificar errores pasados.

Si su vida hubiera sido un éxito, Kurtz habría soportado ese descubrimiento. Habría contemplado su obra, habría pensado que era buena y se habría ido a la tumba sereno por su triunfo sobre la muerte. El hecho de que reaccionara en cambio con horror atestiguaba su fracaso a la hora de superar los desafíos de la existencia mortal.

«¡El horror!, ¡el horror!» ¿Reaccionaríamos de otra manera ante la idea del eterno retorno?

Fuentes: Also sprach Zarathustra, de Friedrich Nietzsche (1891) (trad. cast.: *Así habló Zaratustra*, Madrid, Alianza, 2005); *Heart of Darkness*, de Joseph Conrad (1902) (trad. cast.: *El corazón de las tinieblas*, Madrid, Alianza, 2006).

Como crítica literaria y como metafísica, esta interpretación de las últimas palabras de Kurtz en *El corazón de las tinieblas*, de Joseph Conrad, es, en el mejor de los casos, una completa especulación y, en el peor, pura invención. No me consta ningún indicio textual de que así sea como deberíamos entender las enigmáticas palabras de Kurtz. Y la idea del eterno retorno, aunque aparentemente tomada en serio por Nietzsche, a juicio de la mayoría de los comentaristas no se correspondería con su mejor época.

No obstante, la hipótesis del eterno retorno y nuestra reacción ante él es un interesante recurso para examinarnos a nosotros mismos. Aun cuando nuestra vida no esté predestinada a repetirse infinitamente, nuestra capacidad de soportar la idea de que lo estuviese es, para Nietzsche, una prueba de que hemos «vencido» a la vida. Sólo el «superhombre», que posee un pleno autodominio y control sobre su destino, podría contemplar su vida con suficiente satisfacción para aceptar su eterno retorno.

Es importante recordar que Nietzsche no está hablando de una especie de *Atrapado en el tiempo*. En esa película, Bill Murray se encontraba en el mismo día una y otra vez, pero en cada ocasión tenía la oportunidad de hacer las cosas de otra manera. Por tanto, tenía la posibilidad de redimirse, de escapar del ciclo, aprendiendo finalmente a amar. En el retorno nietzscheano, uno no es consciente de estar haciendo lo mismo de nuevo, ni tiene la oportunidad de hacerlo de otra forma. Se trata exactamente de la misma vida, vivida una y otra vez.

Nietzsche puede haber llegado demasiado lejos al sugerir que sólo el superhombre, que jamás ha existido, podría aceptar esto. De hecho, es interesante cuánta gente, incluso quienes han pasado un auténtico calvario, dice: «Si pudiera volver atrás, volvería a hacer lo mismo. No cambiaría nada». A primera vista, eso contradice directamente la tesis de Nietzsche sobre la intolerabilidad del eterno retorno. Sin embargo, quizá no es Nietzsche quien se equivoca, sino quienes aceptan alegremente sus errores pasados. Pues cuando realmente intentamos imaginar las malas experiencias de nuestro pasado, los terribles errores cometidos, las cosas perjudiciales que hicimos, las humillaciones que sufrimos, ¿no resulta insufriblemente doloroso? ¿No es simplemente la falta de imaginación, o al menos nuestra capacidad de borrar los recuerdos dolorosos, lo que evita que nos venza «el horror» del pasado? El superhombre acepta la idea de la repetición sin las anteojeras y filtros que nos protegen del dolor del recuerdo. Por eso creía Nietzsche que el superhombre era tan excepcional, y por eso el resto de nosotros reaccionaríamos como Kurtz ante la idea de que la historia se repita una y otra vez.

VÉASE TAMBIÉN

20. Condenada a vivir
34. La culpa no es mía
65. El poder del alma
88. Amnesia total

70. La visita del inspector

Cuando el inspector de sanidad visitó la pizzería de Emilio y la cerró de inmediato, ninguno de sus amigos podía creer que hubiera dejado que ocurriera. Después de todo, decían, sabía que era inminente una inspección. ¿Por qué no hizo entonces limpieza?

La respuesta de Emilio fue simple. Le habían avisado de que un inspector lo visitaría por sorpresa antes de fin de mes. Emilio se había sentado a pensar qué día podría ser la inspección. No podía ser el 31: si el inspector no había venido antes de entonces, la inspección sólo podía ser ese día, luego no sería una sorpresa. Si se descartaba el 31, también se descartaba el 30, por la misma razón. La inspección no podía ser el 31, así que, si el 29 aún no había tenido lugar, sólo quedaría el 30, por lo que tampoco sería una sorpresa. Pero entonces, si la inspección no podía ser el 30 ni el 31, entonces tampoco podía ser el 29, por las mismas razones. Descontando fechas, Emilio concluyó finalmente que la inspección no podía llevarse a cabo ningún día.

Irónicamente, habiendo concluido que no era posible una inspección sorpresa, Emilio se vio desagradablemente sorprendido el día que entró el inspector. ¿Qué había fallado en su razonamiento?

Fuente: la ampliamente discutida «paradoja del examen sorpresa» tiene su origen en un programa de radio sueco en tiempos de guerra.

La respuesta breve a este enigma es que, en la vida cotidiana, la gente no es tan cuidadosa como los lógicos a la hora de elegir las palabras. Con «sorpresa» los inspectores simplemente se referían a que no le dirían de antemano a Emilio qué día sería la visita. Si sólo quedaba un día, el 31, y la inspección no sería una absoluta sorpresa, tampoco pasaba nada.

Muchos filósofos dirían que esta respuesta carece de interés, pues no soluciona el problema, sino que meramente lo disuelve en la imprecisa sopa del habla cotidiana. Pero yo creo que esta respuesta es poco generosa. Siempre merece la pena recordarnos que las ambigüedades y zonas grises del lenguaje a veces resultan necesarias para comprender el mundo, aun cuando estas mismas imprecisiones puedan entorpecer en otras ocasiones la comprensión.

No obstante, es cierto que esta respuesta deja sin solucionar el arduo problema. ¿Y si la promesa de una visita sorpresa hubiese de interpretarse en su literalidad, de modo que cualquier visita que no fuera sorpresa, como la del día 31, contradiría la promesa de una visita sorpresa?

Tal vez la idea de una inspección sorpresa es una incoherencia. Desde esta perspectiva, el razonamiento de Emilio era perfecto y su conclusión era cierta: no puede haber inspección sorpresa. Por consiguiente, el anuncio por anticipado de la inspección sorpresa no puede hacerse sin implicar algún tipo de contradicción.

La solución parece ingeniosa, pero se ve minada por el hecho de que obviamente puede haber una inspección sorpresa, como le costó caro constatar a Emilio. Si se hizo y se cumplió la promesa, cuesta argüir que fuese incoherente.

Cabe también la curiosa posibilidad de que la persona que razona que no puede haber sorpresa alguna simplemente cambie la fuente de la sorpresa. El 29, por ejemplo, Emilio habría concluido que no se podía hacer ninguna inspección sorpresa el 30 o el 31. Pero eso implica aún que cualquiera de los dos días restantes podía hacerse una inspección, aunque no por sorpresa. Y como no sabe cuál de los dos días será, seguiría siendo una sorpresa si ocurriera el 30.

Incluso podría ser una sorpresa una inspección el 31, pues, habiendo concluido que no es posible ninguna inspección sorpresa ese día, si se hiciese pese a todo una inspección, sería una sorpresa.

Acaso lo más sorprendente sea, sin embargo, que un enigma que parece una pequeña trampa lingüística revista una complejidad lógica mucho mayor de lo que parecía.

VÉASE TAMBIÉN

71. Respiración artificial

El doctor Gris estaba deprimido. Uno de sus pacientes terminales se mantenía conectado a una máquina de respiración artificial. Antes de perder la conciencia por última vez, había pedido repetidamente que apagasen la máquina. Pero el comité ético del hospital había decidido que no se podía realizar ninguna acción encaminada a acortar la vida de un paciente.

Gris discrepaba del comité y le preocupaba que se hubiesen ignorado los deseos del paciente. Asimismo, pensaba que contener la muerte con la máquina suponía simplemente prolongar la agonía de sus amigos y parientes.

Gris miraba con tristeza a su paciente. Pero entonces sucedió algo extraño. Una limpiadora del hospital cogió el cable de transmisión que iba hasta la máquina de respiración artificial y lo desenchufó. La máquina emitió unos pitidos de alarma. La limpiadora, preocupada por el sonido, miró al médico buscando orientación. «No se preocupe —dijo Gris sin vacilar—, no pasa nada, siga.»

Y, en efecto, para Gris nadie había realizado ninguna acción para acortar la vida del paciente. Dejar apagada la máquina desconectada por accidente no era realizar una acción para prolongarla. Había logrado el resultado deseado sin desobedecer las instrucciones del comité ético.

Fuente: *Causing Death and Saving Lives*, de Jonathan Glover (Penguin, 1977).

Existe una clara diferencia entre matar y dejar morir, pero ¿es siempre moralmente relevante esta diferencia? Si en ambos casos la muerte fue intencionada y el resultado de una decisión deliberada, ¿no son igual de culpables quienes tomaron la decisión?

En el caso del doctor Gris, sí que resulta extraño establecer una distinción tajante entre matar y dejar morir. Había querido apagar el interruptor de la máquina de respiración artificial y dejar morir al paciente. De hecho, se limitó a no volver a conectar la máquina, con la misma intención y el mismo resultado. Si habría estado mal provocar la muerte del paciente, sin duda también está mal dejar de hacer algo sencillo para impedir la muerte del paciente. O, por decirlo al revés, si es moralmente justificable dejar morir al paciente, seguro que habría sido igualmente justificable haber desconectado la máquina.

Pero las leyes sobre la eutanasia sí que distinguen tajantemente entre matar y dejar morir. La extraña consecuencia de ello es que los médicos pueden dejar de alimentar a un paciente en un estado vegetativo permanente, matándolo efectivamente de inanición, pero no pueden administrarle una inyección letal y matarle rápidamente. En ambos casos, el paciente está inconsciente y no sufrirá. No obstante, cuesta entender por qué matar de inanición podría considerarse éticamente superior a una muerte súbita e indolora.

Cabría alegar que, aunque no siempre existe una diferencia moralmente significativa entre matar y dejar morir, es importante por razones legales y sociales no sancionar cualquier muerte deliberada. Existen ciertas zonas éticas grises, como este caso de la máquina de respiración artificial, pero la sociedad necesita reglas y el lugar más claro y adecuado para trazar la línea es la frontera entre matar y dejar morir. En unos cuantos casos difíciles esto puede implicar que tengamos resultados insatisfactorios, como con el paciente del doctor Gris. No obstante, es preferible esto a abrir las puertas a la muerte deliberada a manos de los médicos.

Pese a todo, como presupone que la diferencia entre matar y dejar morir es la mejor manera de distinguir entre el trato ético y no ético a los pacientes, este argumento incurre en una petición de principio: ¿por qué no establecer como principios fundamentales los de minimizar el sufrimiento y respetar los deseos de los pacientes?

Cualquiera que sea nuestra conclusión, el caso del doctor Gris muestra que, desde una perspectiva ética, la distinción entre matar y dejar morir sigue siendo problemática.

VÉASE TAMBIÉN

72. Liberad a Percy

«Hoy he iniciado un proceso contra mi presunto dueño, el señor Polly, según el artículo 4(1) de la Convención Europea de Derechos Humanos, que declara que "nadie será sometido a esclavitud o servidumbre".

»Desde que el señor Polly me capturó en Venezuela, estoy retenido contra mi voluntad, sin dinero ni posesiones que pueda considerar míos. ¿Hay derecho a esto? Soy una persona como ustedes. Siento dolor. Tengo planes. Tengo sueños. Puedo hablar, razonar y sentir. Ustedes no tratarían así a los suyos. ¿Por qué permiten entonces que me maltraten tan descaradamente?

»Por toda respuesta oigo: "Porque eres un loro, Percy". Sí, en efecto soy un loro. Pero, aunque su convención es de derechos *humanos*, habla continuamente de "todos" y con todos se refiere a "todas las personas". ¿Qué es una persona? Solía pensarse que sólo los blancos eran realmente personas. Al menos se ha superado ese prejuicio. Sin duda una persona es todo ser inteligente y pensante, dotado de razón, reflexión y autoconciencia. Yo soy uno de esos seres. Soy una persona. Negarme la libertad solamente en virtud de mi especie es un prejuicio no más justificable que el racismo.»

Fuente: libro 2, capítulo XXVII de *An Essay Concerning Human Understanding*, de John Locke (5ª ed., 1706) (trad. cast.: *Ensayo sobre el entendimiento humano*, Barcelona, Folio, 2003).

Si hace usted demasiado caso de lo que dicen los optimistas o los pesimistas sobre la ciencia biológica, puede acabar creyendo que Percy no es una posibilidad tan remota. ¿Quién sabe cuándo hará posible la ingeniería genética la creación de una especie de loros superinteligentes o, lo que es más probable, de chimpancés?

Si llegamos a hacerlo, ¿estaremos creando personas? «Persona» no es el mismo tipo de categoría que «ser humano». Ésta distingue una especie biológica, aquélla algo aparentemente menos específico en términos fisiológicos. Pensemos cómo reaccionamos ante los extraterrestres inteligentes de la ciencia ficción, como los klingones de *Star Trek*. «También son personas» no sólo parece una respuesta razonable, sino también la correcta, mientras que sería falso afirmar que «también son humanos».

Desde un punto de vista moral, ¿qué categoría es más importante? Consideremos la moralidad de torturar a un klingon. «No pasa nada, no es un humano» parece ciertamente una atrocidad moral, mientras que «No lo hagas, es una persona» parece moralmente justo.

Si esta línea de razonamiento es correcta, no sólo habría que liberar a Percy, sino que deberíamos replantearnos cómo nos concebimos a nosotros mismos y a los demás animales. En primer lugar, la idea de que nuestra relevancia moral reside en nuestra naturaleza como personas más que como seres humanos encaja bien con la idea de que nuestra identidad no viene determinada por nuestro cuerpo sino por aquellas características del yo que resultan esenciales para ser persona: pensamiento, sentimiento y conciencia. Son éstas las que precisamos para continuar existiendo como personas, no nuestro cuerpo.

En segundo lugar, la alusión de Percy al racismo sugiere que el «especismo» es una posibilidad real. Incurriríamos en el especismo cada vez que usáramos la pertenencia de un ser a un género biológico diferente para justificar un trato diferente, cuando dicha diferencia biológica resulta moralmente irrelevante.

De hecho, ningún otro animal posee suficientes características de la persona como para ampararse en la Convención Europea de Derechos Humanos. No obstante, existen muchos animales que no sólo sienten dolor, sino que pueden recordarlo y anticiparlo en cierta medida. ¿No cabría aducir que esto implica ya nuestra obligación moral de hacernos cargo de este dolor y no provocarlo innecesariamente? Y si no cumplimos esta obligación, simplemente porque los animales en cuestión no son humanos, ¿no incurrimos en el especismo? La acusación reclama una respuesta, aunque no es muy probable que llegue a los tribunales.

VÉASE TAMBIÉN

73. Ser un murciélago

¿En qué consiste ser un murciélago? Tratemos de imaginarlo. Quizá nos veamos muy pequeños, con forma de murciélago y colgados cabeza abajo dentro de una cueva con cientos de nuestros amigos. Con esto ni siquiera nos aproximamos. Lo que realmente parecemos imaginar es que habitamos el cuerpo de un murciélago, no que *somos* murciélagos. Probemos de nuevo.

Una de las razones de la dificultad es que, como muerciélagos, carecemos de lenguaje o, si somos algo más generosos, disponemos sólo de un lenguaje primitivo de chirridos y gritos. No es sólo que no dispongamos de un lenguaje público para articular nuestros pensamientos, sino que carecemos de pensamientos internos, al menos de los que emplean conceptos lingüísticos.

Otra razón, tal vez la más contundente de todas, es que los murciélagos se orientan mediante ecolocación. Los chirridos que emiten funcionan como una especie de radar, que les permite saber qué objetos hay en el mundo según el rebote de los sonidos en los objetos. ¿Cómo es esta experiencia del mundo? Cabría imaginar que las percepciones del murciélago fueran como nuestras percepciones visuales, pero sería muy improbable. Una tercera razón, aún más extraña, es que el murciélago ve una especie de pantalla de radar, como la de la cabina del avión.

No, la explicación más plausible es que percibir el mundo por ecolocación supone tener un tipo de experiencia sensorial totalmente diferente de la de un ser humano. ¿Podemos siquiera empezar a imaginarlo?

Fuente: «What is it like to be a bat?», de Thomas Nagel, reeditado en *Mortal Questions* (Cambridge University Press, 1979) (trad. cast.: «¿Qué se siente ser murciélago?», en *La muerte en cuestión*, México, FCE, 1981).

La primera invitación a imaginar el mundo perceptivo del murciélago apareció en un célebre artículo del filósofo estadounidense Thomas Nagel, titulado «¿Qué se siente ser murciélago?». La dificultad, si no imposibilidad, de responder refleja supuestamente un problema insoluble de la filosofía de la mente.

El estudio científico de la mente sigue aún, si no en pañales, en la prepubescencia. En muchos sentidos ya sabemos bastante. En particular, no hay duda de que la mente depende del funcionamiento del cerebro y hemos avanzado mucho en la «cartografía» del cerebro, identificando las regiones responsables de determinadas funciones mentales.

Pero, a pesar de todo, todavía persiste algo llamado problema mente-cuerpo. Es decir, sabemos que existe algún tipo de relación muy estrecha entre la mente y el cerebro, pero sigue siendo un misterio cómo algo físico como el cerebro puede dar lugar a las experiencias subjetivas de la mente.

El murciélago de Nagel nos ayuda a precisar el problema. Podríamos llegar a entender completamente cómo funciona el cerebro del murciélago y cómo percibe mediante ecolocación, pero tras esta plena explicación física y neurológica seguiríamos sin tener ni idea de lo que se siente siendo un murciélago. Por tanto, seríamos en buena medida incapaces de penetrar en la mente del murciélago, aun cuando entendiéramos cabalmente el funcionamiento de su cerebro. Pero ¿cómo es posible esto si la existencia de la mente sólo depende del funcionamiento del cerebro?

Por decirlo de otro modo, las mentes se distinguen por la perspectiva en primera persona que tienen del mundo. Todo ser consciente percibe el mundo desde el punto de vista de algún «yo», con independencia de que posea o no el concepto del yo. Pero el mundo físico se caracteriza exclusivamente en términos de tercera persona: en él todo es «él» o «ella». Por eso la descripción del cerebro y su funcionamiento puede ser completa, porque incluye todo cuanto puede captarse desde el punto de vista de la tercera persona, si bien deja fuera lo que parece más crucial para la experiencia: el punto de vista de la primera persona.

¿Qué muestra todo esto? ¿Acaso que la mente siempre eludirá una explicación científica, porque los puntos de vista de la conciencia y de la ciencia son totalmente diferentes? ¿O tal vez que aún no hemos ideado un marco para la comprensión científica del mundo que capture a la par los puntos de vista en primera y tercera persona? ¿O se trata simplemente de que la mente no forma parte del mundo físico? La primera posibilidad se antoja prematuramente pesimista; la segunda nos deja a la espera de un camino que ni siquiera acertamos a vislumbrar; y la tercera parece contradecir abiertamente todo cuanto sabemos sobre la íntima conexión entre mente y cerebro. Encontrar la senda por la que avanzar se antoja tan difícil como penetrar en la mente de un murciélago.

VÉASE TAMBIÉN

74. Agua, agua por doquier

La NASA lo había bautizado como «Tierra Gemela». El planeta recién descubierto no sólo tenía aproximadamente el mismo tamaño que el nuestro, tenía un clima similar y la vida había evolucionado en él de forma casi idéntica. De hecho, incluso había países donde se hablaba dialectos del inglés.

Tierra Gemela contenía gatos, sartenes, burritos, televisores, béisbol, cerveza y, al menos en apariencia, agua. Tenía ciertamente un líquido claro que caía del cielo, llenaba los ríos y océanos, y saciaba la sed de los humanoides nativos y de los astronautas terrícolas.

Cuando se analizó este líquido, sin embargo, resultó que no era H_2O, sino una sustancia muy compleja, bautizada como H_2No. La NASA anunció, por consiguiente, que su previa declaración de que se había encontrado agua en Tierra Gemela era errónea. Hay quien dice que si parece un pato, camina como un pato y grazna como un pato, entonces es un pato. En este caso, el ave tenía pico de pato, andaba y graznaba como un pato, pero no era un pato.

No obstante, los titulares de los tabloides ofrecían una interpretación diferente: «Es agua, pero no tal como la conocemos».

Fuente: «The meaning of "meaning"», de Hilary Putnam, reeditado en *Philosophical Papers, vol. 2: Mind, Language and Reality* (Cambridge University Press, 1975) (trad. cast.: «El significado de "significado"», en L. M. Valdés (comp.), *La búsqueda del significado*, Madrid, Tecnos, 1975).

¿H_2No es agua o no? ¿Acaso tiene alguna importancia? A muchos, los problemas de esta índole se les antojan ejemplos de la enfermiza preocupación de los filósofos por cuestiones de mera semántica. ¿Qué importa si llamamos agua o no al H_2No? Sabemos lo que es y lo que no es.

Importa si nos interesa el origen del significado. La mayoría de nosotros carecemos de una teoría explícita del significado, pero adoptamos sin embargo una de andar por casa. Según ésta, los significados de las palabras son como definiciones que tenemos en la cabeza. Por ejemplo, supongamos que creo erróneamente que una migraña no es más que un fuerte dolor de cabeza. Podría decir entonces: «Tengo una migraña terrible». Si me explican que en realidad no tengo una migraña, puedo admitir mi error, pero seguiría teniendo la sensación de que sabía lo que *quería decir* cuando afirmaba tenerla. El error estriba en la falta de correspondencia entre la definición correcta y la que yo había interiorizado. Según esta interpretación, lo que determina el significado de una palabra es su definición, y las definiciones son esa clase de cosas que cabe almacenar en la mente como en los diccionarios.

Sin embargo, la historia del H_2No cuestiona esta intepretación. Debería estar claro que cuando terrícolas y terrícolas gemelos piensan «Esto es agua» tienen pensamientos sobre dos sustancias diferentes. El agua de la Tierra y el agua de la Tierra Gemela no son la misma cosa, por más que compartan el mismo nombre. Imaginemos ahora la Tierra y la Tierra Gemela hace mil años. Nadie conocía entonces la composición química del agua. Por tanto, si consideramos lo que tendría en mente alguien que pensara que «eso es un vaso de agua», habría sido lo mismo en el caso del terrícola y del terrícola gemelo. Pero imaginemos ahora que una persona de cada planeta piensa esto sobre el mismo vaso de «agua». Si se trata de H_2No, el terrícola gemelo estaría teniendo un pensamiento verdadero, pero el terrícola estaría teniendo uno falso, pues no es en absoluto lo que llamamos agua. Pero esto implica que no pueden estar teniendo el mismo pensamiento, pues el mismo pensamiento no puede ser verdadero y falso a la vez.

Si esta línea de razonamiento es correcta, y sí que parece convincente, obtenemos un resultado sorprendente. Como lo que sucede en la cabeza del terrícola y del terrícola gemelo es exactamente lo mismo, pero sus pensamientos son diferentes, ¡eso significa que los pensamientos no están enteramente en la cabeza! Al menos aquella parte del pensamiento que suministra el significado de las palabras está en realidad ahí fuera, en el mundo.

La pregunta de si el H_2No es agua no es una mera cuestión de semántica. Nuestra respuesta determinará si los significados y pensamientos están dentro de nuestra cabeza, como solemos suponer, o fuera de ella, en el mundo. Puede expulsar literalmente el pensamiento de la mente.

Véase también

11. El barco *Teseo*
23. El escarabajo en la caja
63. A saber
68. Dolor loco

75. El anillo de Giges

Herbert se puso en el dedo el anillo de Giges y se sobresaltó inmediatamente por lo que vio: nada. Se había vuelto invisible. Se pasó las primeras horas deambulando para comprobar su nueva invisibilidad. En cierta ocasión tosió sin querer y descubrió que, a oídos del mundo, también era mudo. Pero su masa corporal dejaba una impresión en un almohadón blando o suponía un obstáculo inexplicable para quienes trataban de atravesarlo.

Una vez acostumbrado a lo que significaba una vida invisible, Herbert comenzó a pensar en lo podría hacer a continuación. Para vergüenza suya, las primeras ideas que le venían a la mente eran poco edificantes. Podía, por ejemplo, merodear por las duchas o vestuarios femeninos. Podía robar con suma facilidad. También podía hacer tropezar a los detestables tipos trajeados que gritaban por sus móviles.

Pero deseaba resistirse a tan bajas tentaciones, así que intentó pensar en las buenas obras que podía realizar. Sin embargo, las oportunidades en este campo eran menos evidentes. ¿Y cuánto tiempo lograría resistir la tentación de aprovecharse de su invisibilidad de maneras menos edificantes? Bastaría con un momento de debilidad para descubrirse mirando furtivamente a mujeres desnudas o robando dinero. ¿Sería capaz de resistir?

Fuente: libro segundo de *La república* de Platón (360 a.C.).

Resulta tentador interpretar el anillo de Giges como una prueba de la estatura moral: nuestra forma de actuar al amparo de la invisibilidad revela nuestra verdadera naturaleza moral. Pero ¿hasta qué punto es justo juzgar a alguien por su hipotético comportamiento al enfrentarse a tentaciones más fuertes de las que resistiría la mayoría de la gente? Si somos sinceros, el hecho de imaginarnos con el anillo puede revelar que somos decepcionantemente corruptibles, pero eso no equivale a afirmar que seamos en realidad unos corruptos.

Quizás el mítico anillo nos permita comprender mejor al diablo, o al menos a algunas de sus huestes. Los famosos que se comportan mal, por ejemplo, provocan nuestra desaprobación. Pero ¿podemos acaso imaginar lo que significa poseer una enorme riqueza, infinitas oportunidades placenteras y parásitos aduladores dispuestos a consentir todos nuestros caprichos? ¿Podemos estar tan seguros de que nosotros no acabaríamos también degradándonos?

Podemos descubrir algo de nuestra actual condición moral considerando cómo actuaríamos con el anillo a nuestra disposición durante un tiempo limitado. Una cosa es confesar que, con el tiempo, podríamos sucumbir a los encantos del voyeurismo clandestino, y otra muy distinta pensar que lo primero que haríamos es salir corriendo hacia los vestuarios del gimnasio más próximo. A quien siguiera ese camino sólo le separa del auténtico mirón el miedo o la falta de oportunidades.

El anillo nos ayuda, pues, a distinguir entre lo que realmente creemos que está mal y lo que sólo dejamos de hacer por las convenciones, la reputación o la timidez. Reduce a su esencia nuestra moralidad personal, quitando la máscara de valores que sólo fingimos defender. Lo que nos queda podría ser angustiosamente exiguo. Probablemente no cometeríamos asesinatos indiscriminados, pero un par de enemigos aborrecidos podrían correr peligro. Muchas feministas aducirían que demasiados hombres aprovecharían la oportunidad para violar. Puede que no nos convirtiésemos en ladrones profesionales, pero los derechos de propiedad podrían antojarse de repente menos inviolables.

¿Un panorama demasiado pesimista? Si preguntamos a la gente cómo piensa que se comportarían los demás con el anillo y cómo actuarían ellos mismos, constataremos a menudo un fuerte contraste. Los demás se volverían amorales; nosotros preservaríamos nuestra integridad. Cuando respondemos de esta manera, ¿estamos subestimando al prójimo o sobreestimándonos a nosotros mismos?

VÉASE TAMBIÉN

76. A la Red de cabeza

Nunca más se sentiría incómoda Usha en compañía de sus pedantes colegas que no paraban de mencionar a gente importante para impresionarle. Segura de sí misma, se acercó sigilosamente a Timothy el sabelotodo para poner a prueba sus nuevos poderes. «Usha, querida —dijo él—. ¡Esta noche me recuerdas a *la belle dame!*»

«¿"Toda belleza, la hija de un hada"? —respondió Usha—. Me siento halagada. Pero "su cabello era largo, sus pies pequeños y su mirada extraviada". No puedo hablar por mis ojos, pero calzo un 40 y tengo el pelo corto.»

Timothy se quedó estupefacto. «No sabía que te gustaba tanto Keats», dijo.

«Parafraseando a Kant —respondió Usha—, quizá no me conoces tal como soy, sino meramente como aparezco.» Y con esto le dejó pasmado.

Su nuevo implante funcionaba de maravilla: un chip de alta velocidad conectado a Internet y una enciclopedia incorporada. Respondía al esfuerzo por recordar explorando en estas fuentes de información y seleccionando lo que se buscaba. Usha no podía distinguir siquiera lo que recordaba realmente de lo que había recuperado el chip. Tampoco le importaba, pues ahora era la persona más erudita de la sala y eso era lo que contaba.

No cabe duda de que Usha es una tramposa. Finge haber leído y recordado cosas que, de hecho, su asombroso implante le introduce en la mente por primera vez.

Pero ¿quiere eso decir que no sabe lo que escribieron Keats y Kant? El hecho de que su acceso a la información sea tan poco convencional no demuestra por sí solo que no posea conocimiento. A fin de cuentas, ¿cuál es la diferencia entre acceder a la información almacenada en nuestro cerebro y a la almacenada en otro lugar, pero conectada directamente con él?

El caso resulta aún más convincente si aceptamos, como muchos filósofos, que el conocimiento es un tipo de creencia verdadera justificada. Las creencias de Usha sobre Keats y Kant son verdaderas, y ella tiene al menos tan buenos motivos para considerarlas verdaderas en razón de la eficacia de su chip como los que tenemos nosotros para creer verdadero lo que recordamos en razón de la dudosa eficacia de nuestro cerebro.

Quizá lo más interesante de este caso no sea lo que sabe Usha, sino qué papel desempeñan los hechos recordados en la inteligencia y la sabiduría. La deslumbrante exhibición de Usha no dependía únicamente de su capacidad de citar: tenía que usar las citas con ingenio y entendimiento. En esto consiste su inteligencia, no en la capacidad de repetir maquinalmente los versos y textos clásicos.

No obstante, el trasfondo de la historia sugiere que a veces nos inducen a creer otra cosa. Usha solía sentirse intelectualmente intimidada porque estaba rodeada de gente capaz de evocar y citar grandes obras con facilidad. ¿Demuestran realmente estas personas una gran inteligencia o meramente una excelente memoria? Reparemos en que Timothy comenzó la conversación evocando un poema de Keats, pero su heroína no se parecía en nada a Usha.

Podemos tener otros buenos motivos para pensar que el implante de Usha no suple la lectura efectiva de grandes obras. Para comprender realmente una obra valiosa y profundizar en su significado es preciso dedicarle tiempo. Las citas aisladas de Usha carecen de toda comprensión del trasfondo y el contexto. Así pues, aunque puede usarlas con ingenio para desconcertar a su colega, si la conversación derivase hacia los matices de Keats y Kant, se pondrían de manifiesto sus carencias.

Pero insistamos en que otro tanto podría sucederle a Timothy. La clave está en que el mero conocimiento de los contenidos de las grandes obras filosóficas y literarias no es un indicador de sabiduría o inteligencia. Un chip informático podría resultar tan efectivo como un cerebro humano a la hora de almacenar esos conocimientos. Lo que cuenta es lo que hagamos con ese conocimiento.

VÉASE TAMBIÉN

77. Cabeza de turco

¿Por qué había ingresado Marsha en el cuerpo de policía? En su mente la respuesta estaba clara: para proteger a la gente y para garantizar que se hiciera justicia. Esas consideraciones eran más importantes que respetar el reglamento.

No cesaba de repetírselo, pues temía carecer de la resolución para violar las reglas con el fin de mantenerse fiel a sus ideales. Un buen hombre había cometido un terrible error, cuyo resultado había sido la muerte de una mujer inocente. Pero, por una serie de accidentes y coincidencias, Marsha tenía suficientes pruebas circunstanciales y forenses para acusar de la muerte a otro hombre. Por otra parte, el hombre al que podía incriminar era un tipo peligroso, responsable de numerosos asesinatos. Sencillamente nunca había sido capaz de reunir suficientes pruebas para demostrar su culpabilidad ante un tribunal.

Sabía que, según la ortodoxia legal, no tenía cabida la incriminación, pero sin duda sería mejor encarcelar a un asesino reincidente que a un hombre que en realidad no suponía una amenaza para nadie.

La justicia de este desenlace superaba la injusticia de privar a un asesino de las ventajas de un juicio justo.

Fuente: Insomnio, dirigida por Christopher Nolan (2002).

«Si alguien hiciera daño a mis hijos, le mataría.» No es nada insólito oír decir esto a ciudadanos por lo demás observantes de la ley. Pero ¿en qué están pensando los que dicen esto?

Algunos explicarían que, aunque les consta que estaría mal tomarse la justicia por su mano, simplemente reconocen con sinceridad cómo se sentirían. Otros se pondrían menos a la defensiva. Quien hiciera daño a sus hijos se merecería cualquier cosa. Podrían tener la ley en contra, pero no la justicia natural.

No cabe duda de que el derecho y la moral no son lo mismo. Por eso puede haber leyes injustas y en ocasiones resulta loable la desobediencia civil. No obstante, el principio del imperio de la ley es importante. Sólo en circunstancias excepcionales deberíamos quebrantar o interpretar libremente las leyes. A todos nos beneficia la prohibición de tomarnos la justicia por nuestra mano, aunque existan buenos motivos para ello.

Sin embargo, estas consideraciones generales no le sirven de mucho a Marsha. Podría estar totalmente de acuerdo con este análisis, pero su problema es si concurren o no en este caso esas circunstancias excepcionales que justifican la violación de la ley. ¿Cómo decidirlo?

Su engaño podría justificarse por diferentes caminos. Por ejemplo, cabría pensar que el quebrantamiento de la ley está permitido si se cumplen tres condiciones. En primer lugar, el resultado ha de ser sustancialmente mejor que el del respeto de la ley. Tal parecería ser el caso en la situación de Marsha. En segundo lugar, la acción no debería socavar el respeto de la ley en general. Esta condición también se cumpliría, siempre que el engaño de Marsha se mantuviese en secreto. En tercer lugar, el quebrantamiento de la ley debe ser el único medio para lograr el mejor resultado. Al parecer, Marsha no tiene otra forma de garantizar que la auténtica amenaza acabe en prisión.

El engaño propuesto por Marsha parece contar, pues, con una justificación moral plausible. Y, pese a todo, nos repugna la idea de que sea una poli y no un tribunal quien decida a quién hay que castigar.

Hay buenos motivos para ello: necesitamos salvaguardias para evitar que la policía abuse de su poder, aunque esto implique a veces que los culpables queden en libertad.

¿Cabe jugar ambas bazas? Quizá no resulte contradictorio afirmar que la sociedad ha de exigir que la policía respete siempre las leyes, pero que a veces es bueno que las violen en secreto. Podemos tener la misión colectiva de defender el imperio de la ley, pero el deber individual de garantizar que hacemos lo mejor, dentro o fuera de la ley.

VÉASE TAMBIÉN

78. Apostar por Dios

Y el Señor dijo al filósofo: «Yo soy el Señor, tu Dios, y, aunque no tienes pruebas de que soy quien digo ser, déjame darte una razón para creer que un ser caído como tú sabrá apreciar: un juego basado en el interés propio.

»Hay dos posibilidades: que yo exista o que no exista. Si crees en mí y cumples mis mandatos y existo, ganas la vida eterna. Pero, si no existo, logras una vida mortal con algo del consuelo de la creencia. Sin duda, habrás perdido el tiempo en la iglesia y te habrás privado de ciertos placeres, mas eso no importará cuando estés muerto. Pero, si existo, tendrás la dicha eterna.

»Si no crees en mí y no existo, gozarás de una vida libre y cómoda, pero morirás de todos modos y no vivirás con la tranquilidad que da creer en lo divino. Pero, si existo, conocerás el llanto y crujir de dientes por toda la eternidad.

»Por tanto, si apuestas por que no existo, en el mejor de los casos tendrás una vida breve, y en el peor la condena eterna. Pero, si apuestas por mi existencia, por improbable que ésta sea, en el peor de los casos gozarás de una vida breve, pero en el mejor alcanzarás la vida eterna. Estarías loco si no lo hicieses».

Fuente: Pensées, de Blaise Pascal (1660) (trad. cast.: *Pensamientos*, Madrid, Alianza, 2004).

Por todo el mundo hay gente que no suele practicar ningún culto, ni estudiar textos religiosos, ni siquiera seguir las enseñanzas de su religión. No obstante, no renuncian por completo a creer en su Dios o sus dioses. Por ejemplo, siguen bautizando a sus hijos o celebrando *bar mitzvahs* y funerales religiosos. También puede que recen en momentos de necesidad.

Puede que no hayan razonado con tanta precisión como nuestro Dios jugador, pero subyacen a su comportamiento los mismos principios básicos: es preferible mantener cuando menos un mínimo compromiso con Dios, por si acaso. Así razonan tanto el vendedor de seguros como el jugador: no nos supone mucho tiempo ni esfuerzo, pero podríamos salvar nuestra alma.

La apuesta sólo tiene sentido si las posibilidades se reducen realmente a dos, pero desde luego no es así. Hay muchos dioses en los que creer y muchas formas de seguirlos. Los cristianos evangélicos, por ejemplo, creen que irá al infierno quien no acepte a Jesucristo como su salvador. Así pues, quien dirija su apuesta divina al islam, el hinduismo, el sijismo, el jainismo, el budismo, el judaísmo, el confucianismo o cualquier otra religión, seguirá perdiendo si Cristo resulta ser el rey de los cielos.

Las posibilidades siguen siendo las mismas, por supuesto: la condena eterna es un resultado posible de la mala elección. Pero el problema ahora es que no podemos asegurarnos contra esta sumamente improbable eventualidad porque, si elegimos la religión equivocada, nos condenamos de todos modos.

Quizá cabría pensar que el Dios que es infinito amor no condenaría a nadie al infierno por creer en la religión equivocada, por lo que cualquiera valdría. Pero un Dios tan bondadoso y comprensivo con nuestros errores sin duda tampoco condenaría a las llamas eternas a los ateos. El único Dios contra el que compensa hacerse un seguro es un Dios fundamentalista, y esas pólizas sólo son válidas para una divinidad muy específica.

Más aún, es raro que un Dios capaz de penetrar en lo más recóndito de nuestra alma aceptase una creencia basada en un interés propio tan superficial y calculador. Con el tiempo, tal vez llegásemos a creer auténticamente y no sólo a representar el papel de creyentes. En la devoción religiosa, la práctica es camino de perfección. Pero Dios reconocería aún la insinceridad que motivaría nuestra creencia y nos juzgaría en consecuencia.

Por consiguiente, la apuesta ha de ser más cautelosa. Debemos elegir entre creer en un Dios vengativo y justiciero, que ordena creer únicamente en una de las religiones fundamentalistas frente a las otras muchas en competencia, o creer que no existe ningún Dios o que no es tan egoísta como para exigir que creamos en él antes de ofrecernos la oportunidad de salvarnos. E incluso si apostamos por un Dios espantoso, hay muchos para elegir y a todos ellos les disgustará sobremanera que escojamos a otro.

Al fin y a la postre, la apuesta resulta ser un juego de tontos.

Véase también

24. La cuadratura del círculo
45. El jardinero invisible
58. Mandato divino
95. El problema del mal

79. La naranja mecánica

Al ministro del Interior le habían dicho sin rodeos que su plan era «políticamente inaceptable». Pero, sólo porque se pareciera a algo descrito por un célebre novelista en una obra de ficción distópica, no había motivos para descartarlo de inmediato.

Al igual que el método Ludivico en *La naranja mecánica*, de Anthony Burgess, el nuevo programa de Terapia de Aversión al Delito sometía a los reincidentes a un tratamiento desagradable, si bien no muy largo, a consecuencia del cual la propia idea de los delitos cometidos les provocaba repulsión.

Al ministro del Interior le parecía una situación en la que todos ganaban: los contribuyentes, pues el tratamiento era más barato que la prisión prolongada y reiterada; los delincuentes, ya que la vida era mejor fuera que dentro de la cárcel; y la sociedad, porque los canallas que perturbaban a la comunidad se convertían en ciudadanos observantes de la ley.

Pero la brigada de libertades civiles protestaba por el «lavado de cerebro» y la negación de la libertad y la dignidad esenciales del individuo, aunque el programa era totalmente voluntario. ¿Qué cabía objetar al respecto?, pensaba el ministro del Interior.

Fuente: *A Clockwork Orange*, de Anthony Burgess (Heinemann, 1962) (trad. cast.: *La naranja mecánica*, Barcelona, Minotauro, 2002).

Cuando hablamos de dignidad y libertad podemos estar describiendo dos de los hitos más importantes del paisaje ético o simplemente profiriendo palabras equívocas. Cuando nos quejamos de que una nueva tecnología constituye una afrenta a la dignidad humana, por ejemplo, la mitad de las veces nos limitamos a expresar nuestra repugnancia espontánea hacia algo desconocido e insólito. Por ejemplo, muchos rechazaban al principio la fecundación in vitro, alegando que reducía la humanidad al nivel de un espécimen de laboratorio. Hoy la acepta la mayoría de la gente como un tratamiento deseado y efectivo para los problemas de fertilidad.

Así pues, deberíamos desconfiar de quien sostiene que algo como la Terapia de Aversión al Delito supone un ataque a la libertad y dignidad humanas. Tal vez se limitan a expresar un prejuicio contra una innovación que muestra que los humanos no somos tan misteriosos como nos gustaría pensar, y que también podemos ser manipulados científicamente.

Cabría argüir que la terapia sólo hace de manera sistemática lo que suele suceder al azar. Mediante una combinación de socialización e instinto, aprendemos a sentir repugnancia hacia ciertas formas de conducta. Rehuimos dañar a otras personas, no porque razonemos que esté mal hacerlo, sino porque llegamos a sentir la necesidad de evitar su dolor. Sin embargo, hay quienes no logran aprender esta lección. Quizá carezcan de la empatía innata que nos permite a la mayoría identificarnos con el dolor ajeno. O tal vez se hayan insensibilizado a la violencia y hayan llegado a verla como algo bueno. En tales casos, ¿qué hay de malo en inculcar artificialmente los instintos que la naturaleza o la educación no acertaron a desarrollar?

El discurso sobre el lavado de cerebro resulta muy convincente, pero parece que buena parte de nuestra conducta es una especie de hábito fomentado por una combinación de sucesivos refuerzos negativos y positivos por parte de los padres y la sociedad en general. En efecto, a todos nos lavan el cerebro lentamente desde que nacemos. Sólo cuando el lavado de cerebro se hace deprisa, o con un resultado que no nos gusta, se torna súbitamente censurable en términos éticos. ¿Acaso la Terapia de Aversión al Delito no es una simple versión acelerada y reparadora del tipo de lavado de cerebro irreprochable que solemos llamar socialización?

Por razones similares, deberíamos ser cautos a la hora de exagerar nuestros alegatos en pro de la libertad. No creemos que una persona rehúse la violencia sólo cuando está tan inclinada a infligirla como a no hacerlo, pero elige esto último. Más que *elegir*, normalmente una persona decente *siente* algún tipo de aversión hacia el hecho de infligir dolor a otros innecesariamente; no es sólo cuestión de ejercer fríamente el «libre albedrío». Por tanto, si un proceso terapéutico se limita a inculcar lo que para la mayoría supone un nivel ordinario de aversión hacia la conducta delictiva, ¿por qué su resultado habría de ser una persona menos libre que usted y yo?

Si existen buenos argumentos en contra de la Terapia de Aversión al Delito, necesitamos trascender la vaga apelación a la libertad y la dignidad.

Véase también

17. La opción de la tortura
35. Último recurso
50. El buen soborno
97. Suerte moral

80. Corazones y cabezas

Tanto Schuyler como Tryne protegieron a los judíos de los nazis durante la ocupación de Holanda. No obstante, lo hicieron por motivos muy diferentes.

Tryne era una mujer cuyos actos de bondad eran puramente espontáneos. El sufrimiento y la necesidad le llegaban al corazón y ella respondía sin pensarlo. Los amigos admiraban su generosidad de espíritu, pero a veces le recordaban que el camino del infierno está empedrado de buenas intenciones. «Puedes sentir el impulso de darle dinero a un mendigo —le decían—, pero ¿y si se lo gasta todo en drogas?» A Tryne estas preocupaciones la dejaban impasible. Ante la necesidad humana, no podemos por menos de tender la mano.

En cambio, Schuyler tenía fama de mujer fría. La verdad es que no le gustaba mucho la gente, aunque tampoco sentía odio. Cuando ayudaba a los demás, lo hacía porque había reflexionado sobre su obligación y sobre los apuros en que se hallaban, y había concluido que lo correcto era ayudarles. No sentía ninguna satisfacción especial por sus buenas obras, sólo la sensación de haber elegido correctamente.

¿Cuál de las dos llevaba una vida moralmente superior?

A las personas como Tryne se las describe como «buenas», «amables» o «generosas» con más frecuencia que a las personas como Schuyler. Sentimos que su bondad se halla profundamente arraigada en su personalidad y fluye desde ellas de manera natural. Lo instintivo de su generosidad sugiere que la esencia misma de su ser es bondadosa. En cambio, por mucho que admiremos a las personas como Schuyler, no *sentimos* su bondad del mismo modo. A lo sumo, podemos llegar a admirar su disposición a someterse a lo que consideran su obligación.

Es interesante que respondamos de esa manera. Si la moralidad consiste en *hacer* lo correcto, dista de ser evidente que Tryne sea moralmente más loable que Schuyler. De hecho, como hemos sugerido, quizá tenga más probabilidades de obrar mal Tryne, con toda su candidez, que Schuyler. Por ejemplo, si viajamos por África, los niños nos pedirán frecuentemente lápices o incluso dinero. Tryne daría sin duda. Pero probablemente Schuyler pensaría un poco más y concluiría, al igual que la mayoría de las agencias de desarrollo, que este tipo de donaciones fomentan la dependencia, amén del sentimiento de inferioridad e indefensión. Es mucho mejor hacer la donación directamente a una escuela y preservar la dignidad de aquellos a quienes deseamos ayudar.

Existe una segunda razón para atemperar nuestros elogios a Tryne. Como sus acciones no son fruto de la reflexión, ¿no es una simple cuestión de suerte el hecho de que tienda a obrar bien? ¿Por qué elogiar a alguien tan sólo por sus buenas disposiciones naturales? O, lo que es peor, a menos que reflexionemos sobre nuestros sentimientos, ¿no podrían llevarnos por mal camino nuestros instintos? Pensemos, por ejemplo, en las muchas personas que, a lo largo de la historia, han tenido en lo esencial la personalidad de Tryne, pero han sido educadas en culturas racistas. Tales personas eran a menudo tan irreflexivas en su racismo como lo eran en su bondad.

Tal vez podríamos ir más allá. Schuyler es *más* digna de crédito moral precisamente porque actúa bien *a pesar de* su falta de empatía y compasión instintivas. Mientras que la bondad de Tryne no requiere ningún esfuerzo particular, el de Schuyler es un triunfo de la voluntad humana sobre la inclinación natural.

No obstante, el hecho de revocar nuestro juicio instintivo y de ver a Schuyler como la más digna de elogio moral plantea diferentes problemas. Después de todo, ¿no resulta extraño sostener que la persona cuya bondad se halla más íntimamente imbricada en su personalidad es menos virtuosa que aquella que sólo hace el bien porque razona que es su deber?

La solución trillada del dilema consiste simplemente en decir que la bondad requiere la unión de cabeza y corazón, y que, aunque tanto Tryne como Schuyler manifiestan ciertas facetas virtuosas, ninguna de ellas nos sirve de modelo del individuo ético cabal. Esto es casi cierto, pero elude el auténtico dilema: lo más importante a la hora de determinar si somos seres humanos moralmente buenos, ¿son nuestros sentimientos o nuestros pensamientos?

VÉASE TAMBIÉN

81. Sentido y sensibilidad

Los humanoides de Galafray son iguales a nosotros en muchos aspectos. Sin embargo, su percepción sensorial es muy diferente. Por ejemplo, la luz reflejada en la escala de frecuencia del espectro visible para los humanos es olida por los galafrayanos. Lo que nosotros vemos azul, a ellos les huele a cítrico. Asimismo, lo que nosotros oímos, ellos lo ven. La *Novena Sinfonía* de Beethoven es para ellos un espectáculo luminoso psicodélico y silencioso de imponente belleza. Lo único que oyen son los pensamientos, tanto los propios como los ajenos. El gusto es patrimonio exclusivo de los ojos. Sus mejores galerías de arte son elogiadas por su exquisito paladar.

Carecen del sentido del tacto, pero poseen otro sentido del que nosotros carecemos, llamado mulsto. Detecta el movimiento y se percibe a través de las articulaciones. A nosotros nos resulta imposible imaginar el mulsto, como les ocurre con el tacto a los galafrayanos.

Cuando los humanos tuvieron noticia por primera vez de esta extraña raza, alguien no tardó en preguntar: cuando cae un árbol en un bosque de Galafray, ¿hace ruido? Al mismo tiempo, en Galafray se preguntaban: cuando se proyecta una película en la Tierra, ¿huele a algo?

Fuente: A Treatise Concerning the Principles of Human Knowledge, de George Berkeley (1710) (trad. cast.: *Principios del conocimiento humano*, Barcelona, Folio, 2002).

El enigma «Si cae un árbol en un bosque desierto, ¿hace ruido?» es uno de los más viejos de la filosofía. Como se ha vuelto tan trillado, resulta útil reconsiderar el problema desde un nuevo ángulo. De ahí la curiosa pregunta: «Cuando se proyecta una película en la Tierra, ¿huele a algo?». Y es que, por rara que suene, esta pregunta es tan pertinente como la clásica del bosque.

Los problemas surgen al percatarnos de que nuestra percepción del mundo depende tanto, si no más, de nuestra constitución como del propio mundo. Sucede simplemente que nuestro cerebro traduce en sonidos las ondas de una determinada frecuencia. Los perros oyen cosas que nosotros no oímos, y no existe ninguna razón lógica por la que otros seres no pudiesen traducir estas mismas ondas en olores, colores o sensaciones táctiles. De hecho, la sinestesia (cruce sensorial en el que se oyen los colores o se ven los sonidos) ocurre en los humanos bien permanentemente, como una insólita condición, o bien de manera temporal, inducida por drogas alucinógenas como el LSD.

Surge entonces la pregunta de si existen cosas como los sonidos en ausencia de seres que oigan. Sucede ciertamente que el aire vibra cuando cae un árbol en un bosque desierto. Pero si los sonidos dependen de los oídos de los oyentes, ¿no es cierto que sin oídos no hay sonidos?

Si nos resistimos a aceptar esta conclusión y decimos que cuando cae un árbol en Galafray sí que produce un sonido, sin duda habremos de decir también que, siguiendo la misma lógica, cuando se proyecta una película en la Tierra, sí que huele a algo. En efecto, decir que el árbol produce un sonido no significa que alguien oiga algo. Sólo quiere decir que suceden cosas tales que, si una persona estuviera presente, oiría un sonido. Y eso basta para justificar la afirmación de que se produce un sonido. Pero, si esto es cierto, ¿por qué no decir también que las películas huelen? Esto no equivale a afirmar que cuando se proyecta la película alguien huele algo. Todo cuanto significa es que, si estuviera presente una persona que oliera lo que nosotros viésemos, olería la película. Eso parece tan cierto como la afirmación de que, si un humano estuviese en el bosque galafrayano cuando cayera el árbol, oiría algo.

Esta línea de razonamiento parecería abocar a la absurda conclusión de que el mundo está plagado de ruidos que nadie oye, colores que nadie ve, sabores que nadie saborea, texturas que nadie siente, así como muchas otras experiencias sensoriales que ni siquiera acertamos a imaginar. Pues los modos de percibir el mundo son potencialmente infinitos.

Véase también

82. La gorrona

Eleanor estaba encantada con su nueva conexión de banda ancha. Acostumbrada a marcar, le entusiasmaba que ahora su conexión de Internet estuviera siempre activa, y también que le resultaran mucho más rápidas la navegación y las descargas. Además con la ventaja de que le salía totalmente gratis.

Bueno, decir que salía gratis era quizás un poco engañoso. Eleanor no pagaba nada por el servicio porque estaba usando la conexión WiFi de su vecino, una red de área local inalámbrica. Esto permitía que, dentro de un radio limitado, se conectase sin cables a una conexión de Internet de banda ancha cualquier ordenador provisto del *software* y el *hardware* apropiados. Y el apartamento de Eleanor estaba lo bastante cerca del de su vecino para usar su conexión.

A Eleanor esto no le parecía un robo. El vecino tenía la conexión de todos modos. Y ella sólo estaba empleando su ancho de banda excedente. De hecho, un ingenioso programa llamado Buena Urraca garantizaba que su uso de la conexión nunca ralentizara a su vecino de manera apreciable. Así pues, ella obtenía los beneficios de la conexión de su vecino, pero éste no sufría en consecuencia. ¿Qué había de malo en ello?

Mucha gente con ordenadores portátiles o aparatos manuales equipados para la conexión WiFi «toman prestado» anchos de banda de forma ocasional. Cuando necesitan una conexión sobre la marcha, recorren las calles en busca de una señal de red local inalámbrica y se detienen a consultar su correo electrónico. Las empresas o los individuos cuyas conexiones emplean jamás se dan cuenta ni ven disminuir su rendimiento.

Eleanor está embarcada en algo mucho más sistemático. Está usando la conexión de su vecino como su medio cotidiano de acceso a Internet. Él la paga y ella la disfruta. Eso parece sumamente injusto. Pero las acciones de Eleanor no producen ningún efecto negativo a su veci-no. Él debe pagar su conexión de todos modos y el uso que ella hace no interfiere en el suyo. Visto desde esa perspectiva, Eleanor no es más la-drona que alguien que use la sombra proyectada por un árbol del jardín del vecino.

Éste es un ejemplo concreto del problema del gorrón. Los gorrones sacan provecho de las acciones ajenas sin contribuir a ellas. A veces, el gorroneo disminuye la suma total de los beneficios disponibles y en ta-les casos no es difícil entender por qué está mal gorronear. Pero, en otras ocasiones, el gorrón disfruta, en efecto, de un beneficio sobrante y no le quita nada a nadie.

Existen innumerables ejemplos de este gorroneo. Una comunidad organiza un concierto gratuito en el parque, con el que alguien se topa por casualidad y lo disfruta al margen del gentío sin privar a nadie de su placer. Pero no entrega donativo alguno cuando se pasa la gorra. Al-guien se baja ilegalmente de Internet una canción que nunca se com-praría. El artista no se ve privado de ningún ingreso pues, de haber te-nido que pagar, el gorrón no se habría molestado. Pero, no obstante, disfruta la canción.

Si el gorroneo es un delito, parece ser un auténtico delito sin vícti-mas. ¿Qué tiene de malo entonces? Quizá la clave esté en no centrarse en casos particulares de gorroneo sino en patrones de conducta. Por ejemplo, puede que no nos importe que alguien utilice nuestra cone-xión WiFi, si se sobreentiende que podríamos usar la de otros en las mismas circunstancias. Análogamente, podría estar bien no pagar nada por un concierto gratis con el que tropezamos, si hacemos contribucio-nes voluntarias a otros a los que tenemos intención de acudir. Siempre que resulte a la larga un toma y daca, el gorroneo es irreprochable.

En el caso de Eleanor, sin embargo, todo es tomar y no dar nada. No ofrece hacerse cargo de la conexión en el futuro. Por consiguiente, no está gorroneando en el sentido de la mutua cooperación que haría aceptable su uso. Sus acciones evidencian que no piensa en los demás. Con todo, incluso si pensamos que su actitud es un poco egoísta, ¿no si-gue siendo cierto que su pecado es de lo más leve? De hecho, cualquier condena que fuese más allá de reprocharle haber sido algo descarada, ¿no supondría acaso una reacción desproporcionada por un hurto com-pletamente inocuo?

Véase también

83. La regla de oro

Constance siempre había intentado observar la regla de oro de la moralidad: trata a los demás como te gustaría que te tratasen, o, según la aparatosa formulación kantiana: «Obra sólo según una máxima tal que puedas querer al mismo tiempo que se torne ley universal».

Ahora, sin embargo, siente una gran tentación de hacer algo que parecería atentar contra ese principio. Tiene la oportunidad de escaparse con el marido de su mejor amiga, llevándose consigo toda la fortuna familiar. A primera vista, eso no supondría tratar a los demás como le gustaría ser tratada.

Pero, razona, las cosas no son tan simples. Cuando encerramos a un criminal, no pensamos que también deberían encerrarnos, sino que deberían encerrarnos *si estuviéramos en las mismas circunstancias que él*. El contexto lo es todo.

Por tanto, lo que debería preguntarse es si puede «querer que se torne ley universal» que, quien se encuentre en sus circunstancias, se escape con el marido y la fortuna de su mejor amiga. Presentado así, la respuesta parece ser afirmativa. No está diciendo que el adulterio y el despojo de bienes sean buenos normalmente, sino tan sólo que lo son en sus circunstancias concretas. Concluimos, pues, que puede escaparse con la conciencia tranquila.

Fuentes: Analectas de Confucio (siglo V a.C.) (trad. cast.: Analectas: reflexiones y enseñanzas, Barcelona, Círculo de Lectores, 2001); Grundlegung zur Metaphysik der Sitten, de Immanuel Kant (1785) (trad. cast.: Fundamentación de la metafísica de las costumbres, Madrid, Tecnos, 2005).

La regla de oro de Confucio ha aparecido en varias formas en casi todos los principales sistemas éticos diseñados por la humanidad. En su simplicidad parece ofrecer una regla general que todos podemos seguir.

El problema que pone de relieve la situación de Constance no es una simple broma sofística al hilo de la regla. Apunta al significado genuino del principio. Según sus dos interpretaciones extremas, el principio resulta ridículo o vacío.

Si significa que nunca deberíamos hacer a nadie lo que no desearíamos que nos hiciesen a nosotros, al margen de las circunstancias, entonces jamás haríamos nada desagradable como castigar o recluir. Como nos molestaría que nos encerrasen, no encerraríamos a los asesinos. Esto es un disparate.

Por eso Constance tiene razón al señalar que debemos tener en cuenta las circunstancias. Pero, como cada circunstancia es ligeramente diferente, cada caso es único en cierto sentido. Así pues, cualquier cosa que hiciéramos podría estar justificada porque aceptaríamos ser tratados del mismo modo *exactamente* en las mismas circunstancias. Pero entonces se desvanece el aspecto universal de la regla de oro y ésta deviene vacía.

¿Deberíamos explorar entonces la senda intermedia? Ésta tendría que implicar alguna noción de *semejanza relevante*. Deberíamos tratar a los demás como desearíamos que nos tratasen en cualquier situación que, sin ser exactamente la misma, es similar en los términos moralmente relevantes. Así, por ejemplo, aunque todos los asesinatos ilícitos son diferentes, se asemejan de forma relevante en los aspectos morales fundamentales.

Para que funcione la regla de oro, hemos de adoptar un enfoque parecido a éste, pero el resultado dista de ser una regla simple y transparente. En efecto, la identificación de las semejanzas relevantes no es una tarea fácil, y no sólo quienes buscan excusas para sus maldades podrían apuntar una diferencia relevante crucial. Los asuntos humanos son extremadamente complejos y, si no atendemos a las particularidades de cada caso, nos arriesgamos a no hacerles justicia.

Y así volvemos a Constance. Su justificación parece interesada. Pero ¿y si la mejor amiga de Constance resultase ser en realidad una estafadora y mentirosa que ya se hubiera apropiado de miles de libras de la cuenta bancaria familiar? ¿Y si le estuviera haciendo la vida imposible a su marido? En esas circunstancias, la decisión de Constance parece más un acto de heroísmo que de egoísmo.

El dilema de Constance refleja un desafío para quienquiera que intente observar los principios morales: cómo conjugar la necesidad de seguir principios generales con la necesidad igualmente importante de ser sensible a las particularidades de cada situación.

Véase también

84. El principio del placer

Suele ocurrir: te pasas años esperando progresar profesionalmente y entonces se presentan dos oportunidades a la vez. A Penny le habían ofrecido por fin dos puestos de embajadora, ambos en pequeños Estados de las islas del Mar del Sur de tamaño, geología y clima similares. Raritaria tenía leyes estrictas que prohibían el sexo extramatrimonial, la bebida, las drogas, los espectáculos populares e incluso las comidas selectas. El país sólo permitía los «placeres superiores» del arte y la música. De hecho, los promovía activamente con orquestas, óperas, galerías de arte y teatro «lícito» de primera clase.

Salvajitaria era, en cambio, un desierto intelectual y cultural. No obstante era conocida como el paraíso de los hedonistas. Tenía excelentes restaurantes, un próspero circuito de comedia y cabaret y eran liberales en relación con el sexo y las drogas.

Penny lamentaba tener que elegir entre los placeres superiores de Raritaria y los inferiores de Salvajitaria, pues le gustaban ambos. De hecho, un día perfecto para ella combinaría la buena comida y bebida con la alta cultura y la sencilla diversión. Pero tenía que elegir. Así pues, forzada a decidir, ¿qué escogería? ¿Beethoven o solomillo Wellington? ¿Rossini o Martini? ¿Shakespeare o Britney Spears?

Fuente: Utilitarianism, de John Stuart Mill (1863) (trad. cast.: El utilitarismo, Madrid, Alianza, 2005).

¿En cuál de estos extraños pequeños países es más fácil vivir una buena vida? Cabría pensar que es una simple cuestión de gustos. Que los amantes del arte vayan a Raritaria y los animales fiesteros a Salvajitaria. Quienes gusten de algo de ambas cosas, lo que nos ocurre a la mayoría, han de decidir lo que más estiman, o al menos aquello de lo que les resultaría más fácil prescindir.

No obstante, si se trata de una simple cuestión de gusto y disposición, ¿por qué los placeres superiores consiguen subvenciones gubernamentales mientras que los inferiores suelen estar gravados con fuertes impuestos? Si el placer que nos produce escuchar una ópera de Verdi no es más valioso que el placer de escuchar a Motörhead, ¿por qué no se subvencionan las entradas de un concierto de rock en la misma medida que las de la Royal Opera House?

Reflexiones de este tenor han llevado a muchos a concluir que hay algo superior en los placeres «elevados» del intelecto y en el refinamiento estético. No obstante, si se cuestiona esta concepción, resulta difícil justificar la distinción entre lo superior y lo inferior. Cabe sospechar que es sólo cuestión de gustos, esnobismo o elitismo disfrazados de juicio objetivo.

El problema preocupó al filósofo utilitarista John Stuart Mill, quien pensaba que el objetivo de la moral consistía en lograr la máxima felicidad para el mayor número de personas. El problema al que se enfrentaba era que su filosofía parecía valorar una vida llena de placeres superficiales y sensuales por encima de una vida con menos placeres, pero más intelectuales. La vida del gato satisfecho sería mejor que la del artista concienzudo.

La solución pasaba por distinguir entre la calidad y la cantidad del placer. Una vida repleta sólo de placeres inferiores era peor que otra con unos pocos placeres superiores. Pero persiste aún el problema de la justificación: ¿por qué es preferible esta última?

Mill propuso una prueba. Deberíamos preguntar lo que decidirían los jueces competentes. Quienes hubiesen probado tanto los placeres superiores como los inferiores serían los más idóneos para determinar cuáles eran preferibles. Y, como sugieren las etiquetas «superior» e «inferior», Mill sabía bien lo que elegirían.

Si Mill está en lo cierto, Penny, como jueza competente, elegiría Raritaria. Podría lamentar la pérdida de placeres inferiores, pero la incapacidad de disfrutar los superiores le incomodaría más. Y su opinión tiene más peso que la de quienes jamás han apreciado el arte superior o quienes nunca se han entregado a placeres más bajos. Ahora bien, ¿sería ésta de veras la decisión de Penny? ¿Y su juicio nos diría realmente algo sobre la superioridad general de los placeres más elevados sobre los más bajos?

Véase también

85. El hombre inexistente

«Su Señoría, la defensa de mi cliente es muy simple. Acepta haber escrito en efecto en la columna de su periódico que "el actual entrenador de la selección inglesa de fútbol es un mentiroso, un idiota y una vergüenza nacional". También acepta haber dicho que "habría que matarle". Pero, al hacerlo, no difamó en modo alguno al demandante, el señor Glenn Robson-Keganson.

»Es fácil entender por qué. En el momento en que se escribió y se publicó el artículo, no existía ningún entrenador de la selección inglesa de fútbol. El señor Robson-Keganson había presentado su dimisión dos días antes y su oferta había sido aceptada. Esta noticia se hizo pública el día que se publicó el artículo del demandado.

»El demandante sostiene que las acusaciones vertidas por mi cliente eran falsas. Pero no eran ni verdaderas ni falsas, pues no se referían a nadie. De hecho, sería más exacto decir que carecían de sentido. "Flar-Flar es un caballo de carreras" es verdadero si Flar-Flar es un caballo de carreras, falso si no lo es, y un enunciado sin sentido si no existe tal animal.

»Por consiguiente, el jurado debería desestimar el caso. Es absurdo sugerir que cabe difamar a alguien que no existe. Y con esto concluyo mi alegato.»

Fuente: «On Denoting», de Bertrand Russell, en *Mind* 14 (1905), incluido en diversas antologías y reeditado en Internet (trad. cast.: «Sobre la denotación», *Lógica y conocimiento*, Madrid, Taurus, 1981).

Los lógicos no son como la gente normal. Cuando la mayoría de la gente habla, se contenta con hacerse entender y con que los demás sepan en términos generales lo que quieren decir, incluso si su expresión es a veces torpe e imprecisa. Pero los lógicos se sienten frustrados por las imprecisiones y ambigüedades del lenguaje ordinario. Insisten en que sus objeciones aparentemente triviales tienen consecuencias. Consideremos la defensa ante la demanda presentada por Glenn Robson-Keganson. El jurado probablemente la desestimaría porque sabemos a quién se refería con «el actual entrenador de la selección inglesa de fútbol». Pero tomemos literalmente sus palabras y aceptemos que en aquel momento no existía tal persona. ¿No seguirían insistiendo en que las alegaciones eran falsas? Pues, si no existía tal persona, afirmar que era «un mentiroso, un idiota y una vergüenza nacional» es sin duda una falsedad.

Si sostenemos esto, sin embargo, se derivan ciertamente consecuencias, que preocuparon seriamente a Bertrand Russell cuando sopesaba la verdad del enunciado «El actual rey de Francia es calvo» si Francia es una república. El problema estriba en que, en lógica, la negación de un enunciado falso es verdadera. Así, por ejemplo, si «El sol gira alrededor de la Tierra» es falso, entonces «El sol no gira alrededor de la Tierra» es claramente verdadero. Eso significa, sin embargo, que si «El rey de Francia es calvo» es falso, entonces «El rey de Francia no es calvo» debe ser verdadero. Pero no puede ser verdad que el rey de Francia no es calvo, porque no existe tal monarca. Por tanto, parece que enunciados tales como «El rey de Francia es calvo» cuando no existe ningún rey, o «El actual entrenador de la selección inglesa de fútbol es un mentiroso» cuando no existe tal seleccionador, no son ni verdaderos ni falsos.

Si un enunciado no es ni verdadero ni falso, ¿no carece entonces de sentido? Cabría pensar tal cosa, pero sin duda el sentido del enunciado «El actual entrenador de la selección inglesa de fútbol es un mentiroso» está perfectamente claro. Y un enunciado sin sentido cuyo sentido está claro parecería una contradicción en sus términos.

Por consiguiente, se multiplican las implicaciones del enigma aparentemente inocuo sobre la verdad o falsedad de tales enunciados. Ni siquiera hemos aludido a la idea de la correspondencia entre las palabras y los objetos del mundo, y de que la verdad o falsedad de los enunciados depende de dicha correspondencia.

Ni que decir tiene que no podemos resolver aquí el enigma. Una cosa está clara, sin embargo. Quien considere más triviales que inquietantes estos problemas no debería dedicarse a la lógica ni a la filosofía del lenguaje.

VÉASE TAMBIÉN

86. El arte por el arte

Marion estaba acostumbrada a la inconveniencia de descubrir restos arqueológicos durante las obras de edificación, pero no estaba preparada para aquello.

El día que encontraron el pozo, le enviaron un mensaje explicándole lo que contenía. En el fondo del pozo había una caja sellada que contenía una estatua de Miguel Ángel. La caja era una trampa múltiple: si se abría, explotaría una bomba; contenía un gas que explotaría al contacto con el oxígeno y llevaba incorporadas otras ingeniosas trampas. El resultado era que la obra de arte nunca se podría exhibir, pues cualquier intento de hacerlo o de mover la caja la destruiría.

Pero tan peligrosa bomba de relojería no podía quedar enterrada bajo el futuro hospital. Por tanto, sólo parecían existir dos soluciones: abandonar el hospital y dejar la obra de arte a salvo pero sin ser vista, o destruirla de un modo seguro.

En tales circunstancias, Marion no parecía tener más opción que ordenar la intervención del escuadrón antibombas para llevar a cabo una explosión controlada. Pero no podía evitar pensar que sería preferible que la estatua permaneciera intacta, aunque nadie pudiera verla jamás.

La mayoría de nosotros creemos que las obras de arte son valiosas, no sólo en términos monetarios. Las grandes obras de arte merecen ser preservadas, y particulares y gobiernos pagan enormes sumas para adquirirlas, restaurarlas o preservarlas.

Ahora bien, ¿son valiosas en sí mismas o las invisten con valor quienes las observan? Resulta tentador pensar que son valiosas en sí mismas: el *David* de Miguel Ángel no sería menos proeza artística si nadie lo hubiese visto jamás. Por más que un *David* nunca visto o imposible de ver fuese una gran obra de arte, ¿qué sentido tendría su existencia? Podía haber beneficiado en cierto modo a su creador, pero, tras su muerte, ¿qué sentido tendría una obra que nadie puede admirar?

Para comprender el dilema de Marion, resulta crucial distinguir entre la calidad de la obra y el sentido de su existencia, pues hay pocas dudas de que la estatua de la caja es una obra artística de calidad. Lo que se cuestiona es si tiene sentido que exista tal obra de arte si nadie puede verla.

Los preservadores dirán que el mundo es un lugar mejor ya con la mera existencia de la estatua. Los partidarios de su destrucción responderán que esto es absurdo: el mundo se perfecciona en virtud de los efectos que las obras de arte producen en quienes las contemplan. Si la gente no puede alimentarse de arte, éste no sirve para nada. Por la misma razón podríamos cerrar para siempre nuestras galerías nacionales y decir que basta con que existan en su interior los cuadros y esculturas. Tampoco importaría que se mantuvieran fuera de la vista los cuadros en colecciones privadas o en salas de seguridad de museos. Los preservadores replicarían entonces que el hecho de que sea preferible que la gente vea el arte no significa que el arte que no se ve carezca por completo de valor. Una galería abierta es preferible a una cerrada, pero una galería cerrada es mejor que nada.

Pero persiste la duda de si no necesitamos apreciadores del arte para que éste posea algún valor. Imaginemos otro escenario: un virus mortal extermina toda vida sobre la Tierra y no existe más vida en el universo. Queda un mundo lleno de arte, pero sin nadie que lo vea. Si el *David* se cayera de su peana y se hiciese añicos, ¿sería realmente peor este mundo desolado que cuando lo contemplaba su mirada marmórea? Si tendemos a responder afirmativamente, ¿es sólo porque nos imaginamos allí e insertamos en el experimento mental una conciencia supuestamente ausente de dicho mundo? ¿No estaremos incurriendo en el error de quien contempla un cadáver y se imagina que sigue siendo la persona que ya ha cesado de existir?

VÉASE TAMBIÉN

87. Justa desigualdad

Juan y Margarita salieron a comprar los regalos de Navidad para sus tres hijos: Mateo, de 14 años, Marcos, que tenía 12, y Lucas, que tenía 10. Los cariñosos padres siempre intentaban tratar por igual a sus hijos. Este año tenían un presupuesto de 100 libras para cada uno.

Por una vez parecía que sus compras serían fáciles, pues encontraron enseguida lo que buscaban: videoconsolas a 100 libras cada una. Cuando se dirigían a la caja con tres de ellas, Juan reparó en una oferta especial. Comprando dos consolas de última generación por 150 libras cada una, se conseguía una consola de 100 libras gratis. Podían hacer una compra mejor invirtiendo el mismo dinero.

«No podemos hacer eso —dijo Margarita—. Sería injusto, pues uno de los niños recibiría menos que los otros.»

«¡Pero Margarita! —dijo Juan, entusiasmado con la idea de disfrutar de los nuevos juguetes de sus hijos—, ¿qué tiene esto de injusto? De esta forma ninguno recibe un regalo peor de lo previsto y dos de ellos consiguen uno mejor. Pero, si no compramos la oferta, dos de los niños saldrán peor parados que si la compramos.»

«Quiero lo mismo para los tres», replicó Margaret.

«¿Aunque salgan perdiendo?»

Fuente: A Theory of Justice, de John Rawls (Harvard University Press, 1971) (trad. cast.: *Teoría de la justicia*, Madrid, FCE, 1997).

Son muchos los que defienden que es deseable la igualdad, pero pocos los que aceptan que ésta tenga que perseguirse a toda costa. Esto se debe a que parece haber algo deliberadamente perverso en el hecho de lograr la igualdad nivelando por abajo. Resultaría sencillo hacer a todos iguales simplemente haciendo a todos tan pobres como la persona más pobre de la sociedad. Pero obviamente eso parece una estupidez, ya que no beneficia a nadie. Los más pobres siguen siendo igual de pobres y todos los demás salen perjudicados.

No obstante, sólo porque aceptemos que tal vez no siempre merezca la pena imponer la igualdad, no tenemos por qué aceptar sin más toda desigualdad. Lo que hemos de preguntarnos es cuándo resulta aceptable la desigualdad. La explicación de Juan a Margarita sobre los motivos para tratar de manera diferente a sus hijos nos brinda una respuesta. La desigualdad es permisible cuando nadie sale peor parado en consecuencia, sino que algunos salen beneficiados.

Esto se parece mucho a lo que el filósofo político John Rawls denominó el «principio de la diferencia». En esencia, éste dice que sólo están permitidas las desigualdades si benefician a los menos favorecidos. No obstante, no queda claro si esto es aplicable a Mateo, Marcos y Lucas. Según el plan original de regalos, los tres conforman una microsociedad sin clases en la que cada uno es el más favorecido y el menos favorecido. El plan de comprar las consolas de última generación sí que favorece a dos de los menos favorecidos, pero en nada beneficia al tercero. Por tanto, ¿es cierto que el plan beneficia en su conjunto a los menos favorecidos?

Por supuesto, existen importantes diferencias cuando el principio se aplica en los ámbitos político y familiar. En la sociedad en general, el argumento de Juan parece intuitivamente convincente. En las familias, sin embargo, puede haber razones para dar más prioridad a la igualdad, pues, en grupos muy pequeños, las desigualdades se sienten con más intensidad y pueden generar tensiones.

Ahora bien, esta misma consideración es aplicable a la esfera política, pues una razón para combatir la desigualdad es precisamente el efecto que ésta produce en la cohesión social y en el amor propio de los pobres. Como han señalado los psicólogos sociales, aun cuando alguien no empeore en términos materiales si su vecino se enriquece sin coste económico alguno para él, psicológicamente puede verse dañado al cobrar conciencia de que crece la diferencia de riqueza entre ambos. Así pues, interpretar la igualdad y la desigualdad en términos exclusivamente materiales podría suponer un terrible error, tanto en la política como en las familias.

VÉASE TAMBIÉN

88. Amnesia total

Arnold Conan acababa de hacer un desagradable descubrimiento: él no era Arnold Conan. O, mejor dicho, no lo había sido. Todo era bastante confuso.

Hasta aquí llegaba su interpretación de su insólita autobiografía. Nació como Alan E. Wood. A decir de todos, Wood era un hombre sumamente desagradable: egotista, egoísta, cruel y despiadado. Hacía dos años, Wood había tenido serios problemas con la Agencia Estatal de Investigación. Le dieron a elegir: pasarse el resto de su vida en una cárcel de máxima seguridad, donde se asegurarían de que le acosaran los demás presos, o dejar que le borrasen la memoria y la sustituyeran por la de una creación totalmente ficticia de las agencias de seguridad. Escogió esto último. Y así fue como a Alan E. Wood le aplicaron una anestesia general y cuando despertó había olvidado toda su vida anterior. En su lugar, recordaba un pasado completamente ficticio, el de Arnold Conan, el hombre que ahora creía ser.

Conan había establecido que éstos eran los hechos, pero seguía sin saber si era Wood o Conan.

Fuentes: Desafío total, dirigida por Paul Verhoeven (1990); «We Can Remember It For You Wholesale», de Philip K. Dick, en The Collected Short Stories of Philip K. Dick, vol. 2 (Carol Publishing Corporation, 1990) (trad. cast.: Cuentos completos, Barcelona, Minotauro, 5 vols., 2005-2006).

Conan/Wood padece una terrible crisis de identidad. Al parecer es o bien alguien sumamente desagradable del que nada sabe, o bien la creación ficticia de las agencias de seguridad. Es improbable que le atraiga cualquiera de las dos posibilidades.

Muchos creerán intuitivamente que Conan es *en realidad* Alan E. Wood, lo cual resulta comprensible. Nuestra identidad suele depender de la de nuestro cerebro y nuestro cuerpo. Como la vida del organismo llamado Alan E. Wood al nacer ha proseguido ininterrumpidamente, y no existe otra persona en la Tierra que reclame su nombre, diríase que Conan es Wood. Después de todo, si no es Wood, ¿dónde está Wood? Que nos muestren el cadáver: nadie ha sido asesinado.

Esta tesis puede verse asimismo reforzada por el conocimiento de que Arnold Conan es una creación de agentes y neurólogos. Cualquier cosa que recuerde de su infancia, por ejemplo, jamás sucedió en realidad. Conan parece tan irreal como real parece Wood. Así pues, ¿puede haber alguna duda de que Conan es Wood, aunque mentalmente alterado hasta lo irreconocible?

En la mente de Conan/Wood, ciertamente sí. Pues, al margen de los dictados de nuestro razonamiento, él se siente Conan, no Wood. No sentiría, por ejemplo, ningún deseo de recuperar su viejo yo. De hecho, podría horrorizarle la idea de volver a convertirse en el hombre amoral de antaño.

Antes de decir que simplemente se niega a admitir la verdad, pensemos que lleva dos años siendo Conan; no todo su pasado es ficticio. Recordemos asimismo que la gente puede sufrir amnesia general. Si recibiéramos un golpe en la cabeza y perdiéramos todos los recuerdos de nuestro pasado hasta hace dos años, ciertamente nos cambiaría la experiencia, pero no nos transformaríamos por completo en otra persona.

Por consiguiente, no es difícil entender que en Conan/Wood sigamos viendo a Wood. Sólo que Conan existe únicamente desde hace unos años y todos sus recuerdos anteriores a su creación son falsos. El hecho de que empezase siendo una creación artificial no niega el hecho de que lleve dos años viviendo como un ser humano real.

Si ambos argumentos parecen sostenibles, ¿cómo decidir cuál es el más convincente? Si hacemos diferentes preguntas, obtendremos respuestas diferentes. ¿Los amigos de Wood reconocen en él al hombre que conocían? ¿Con quién cree haberse casado la nueva esposa de Conan? ¿Qué dirían los deudores de Wood? ¿Quién cree ser Conan/Wood? Más que preguntar cuáles son los hechos, quizá deberíamos preguntar cuál de estas cuestiones es la más relevante y, por tanto, qué respuesta deberíamos aceptar.

VÉASE TAMBIÉN

89. Matar y dejar morir

Greg sólo dispone de un minuto para tomar una decisión angustiosa. Un tren avanza incontrolado por la vía hacia el empalme donde él se encuentra. Siguiendo la vía, demasiado fuera de su alcance, cuarenta hombres trabajan en un túnel. Si les alcanza el tren, seguro que matará a muchos de ellos.

Greg no puede detener el tren, pero puede tirar de la palanca que lo desviará hacia otra vía. Siguiendo por ésta, en otro túnel, trabajan sólo cinco hombres. El número de víctimas mortales sería sin duda menor.

Ahora bien, si Greg tira de la palanca, estará eligiendo deliberadamente causar la muerte a esta cuadrilla de cinco. Si lo deja estar, no será él quien provoque las muertes entre los cuarenta. Debe provocar la muerte de unos pocos o permitir que mueran aún más. Pero ¿no es peor matar a alguien que simplemente dejarle morir?

Zumbido de raíles, los ruidos de la máquina son cada vez más fuertes. A Greg le quedan sólo unos segundos para tomar una decisión. ¿Matar o dejar morir?

Fuente: «The Problem of Abortion and the Doctrine of Double Effect», de Philippa Foot, reeditado en *Virtues and Vices* (Oxford University Press, 2002).

El dilema de Greg suscita a veces decididas respuestas intuitivas en ambas direcciones. Para algunos, parece obvio que debe tirar de la palanca. Al hacerlo reducirá casi con certeza el número de muertos y eso es sin duda lo que ha de hacer cualquier sujeto moral razonable.

Para otros, si Greg tira de la palanca se pone en el lugar de Dios, decidiendo quién debe vivir y quién debe morir. Ciertamente debemos tratar de salvar vidas, pero no si sólo podemos hacerlo matando a otros. Si justificamos el asesinato por las otras vidas que se salvan, estaremos pisando un terreno resbaladizo.

El problema de esta segunda línea de razonamiento estriba en que, al parecer, Greg está decidiendo quién morirá si tira o no de la palanca. Él no elige desempeñar el papel de Dios, se ha visto abocado a ello. Lo importante no es si actúa o no actúa, sino que tiene la capacidad de actuar o no, y que debe asumir la responsabilidad de su elección en ambos casos.

¿No es cierto que somos tan responsables de lo que hacemos como de lo que podríamos haber hecho con facilidad pero decidimos no hacer? Si sé que un vaso de agua está envenenado y veo que usted va a beberlo, ¿no soy tan responsable de su muerte si le dejo seguir adelante como lo sería si le animase a beber? Si veo que una niña se lanza a una calle transitada y paso de largo, cuando me costaría poco volver a subirla a la acera, ¿no soy al menos parcialmente responsable de su muerte? ¿Y no es poco acertado decir que Greg sería responsable de la muerte de los trabajadores de la vía si tirase de la palanca, pero que no tiene ninguna responsabilidad si no lo hace?

Y, sin embargo, si no establecemos ninguna distinción moral entre matar y dejar morir, ¿no son más incómodas las consecuencias? Obviamente, si nos parece bien que los médicos permitan morir a los enfermos terminales en lugar de prolongar su vida en contra de su voluntad, ¿por qué no vamos a aceptar que les ayuden a morir sin sufrimiento, en el caso de que lo soliciten? Menos evidente, aunque más impresionante, resulta la afirmación de que somos responsables de la muerte de toda esa gente del mundo en vías de desarrollo a la que dejamos morir por falta de agua, comida y medicinas que les podríamos proporcionar fácilmente y sin un gran coste para nosotros.

Si parece poco razonable afirmar que existe una diferencia abismal entre matar y dejar morir, la tesis opuesta, según la cual no existe diferencia alguna entre ambas cosas, suscita todo un nuevo repertorio de dilemas morales.

VÉASE TAMBIÉN

90. Un no sé qué

George Bishop observó fijamente el frutero con naranjas que tenía delante y luego lo hizo desaparecer como por arte de magia.

Comenzó estableciendo una obvia distinción entre las propiedades de las naranjas que son meras apariencias y las que realmente poseen. El color, por ejemplo, es una simple apariencia: sabemos que los daltónicos, o los animales con una fisiología diferente, ven algo muy distinto de la experiencia humana ordinaria de color «naranja». Los sabores y olores son asimismo meras apariencias, ya que también éstos varían en función de quién o qué perciba la fruta, mientras que la fruta misma permanece inalterada.

Pero, cuando empezó a eliminar las «meras apariencias» de las frutas, descubrió que le iban quedando restos escasos y evanescentes. ¿Podía hablar siquiera del tamaño y la forma real de las frutas, cuando estas propiedades parecen depender de cómo las perciben los sentidos de la vista y el tacto? Para imaginar verdaderamente la fruta en sí, independientemente de las meras apariencias de la percepción sensorial, sólo le quedaba la vaga idea de algo que no sabía qué era. Así pues, ¿cuál es la fruta auténtica: este «algo» sutil o el conjunto de meras apariencias?

Fuente: *The Principles of Human Knowledge*, de George Berkeley (1710) (trad. cast.: *Principios del conocimiento humano*, Barcelona, Folio, 2002).

Para explorar la distinción entre apariencia y realidad no se precisa demasiada reflexión. De niños somos «realistas ingenuos» y asumimos que el mundo es tal como aparece. A medida que crecemos, aprendemos a distinguir entre cómo aparecen las cosas a nuestros sentidos y cómo son realmente. Algunas de estas diferencias (como la que existe entre las cosas que son realmente pequeñas y las que simplemente están lejos) son tan evidentes que apenas se señalan. Otras, como la variación del sabor o del color de algo en función del perceptor, las conocemos, por más que en la vida cotidiana las ignoremos u olvidemos.

Conforme desarrollamos una comprensión esencialmente científica del mundo, probablemente llegamos a interpretar esta diferencia en términos de la estructura atómica subyacente a los objetos y el modo en que se nos aparecen. Podemos ser vagamente conscientes de que esta misma estructura atómica se explica en términos de la estructura subatómica, pero no necesitamos preocuparnos de los detalles de la mejor ciencia disponible. Todo cuanto precisamos saber es que el modo en que nos aparecen las cosas es función de la interacción entre nuestros sentidos y lo que realmente son.

Todo esto es poco más que el sentido común del adulto, pero es un sentido común que pasa por alto detalles importantes. Hemos distinguido la realidad de las apariencias, pero no tenemos una idea nítida de lo que es esta realidad. No pasa nada, podemos pensar. La división intelectual del trabajo implica que dejamos esta tarea en manos de los científicos.

Pero ¿acaso no habitan los científicos el mundo de las apariencias tanto como nosotros? Ellos también estudian lo que está presente ante nuestros cinco sentidos. El hecho de que dispongan de instrumentos que les permiten examinar lo que no es visible a simple vista sólo sirve para desviar la atención. Cuando miro a través de un telescopio o microscopio, estoy tan instalado en el mundo de las apariencias como cuando veo sin ayuda de aparatos. Los científicos no trascienden el mundo de las apariencias; simplemente observan dicho mundo con más atención de lo que solemos hacerlo.

Estamos ante un problema filosófico, no científico. Parecemos comprender la diferencia entre el mundo de las apariencias y el mundo tal como es, pero parece imposible bucear por debajo de las apariencias para ver ese mundo «real». Cuando entendemos que la luna no es pequeña sino que está lejos, o que el palo no se tuerce en el agua, no estamos yendo más allá de las apariencias, sólo estamos aprendiendo que unas apariencias engañan más que otras.

Esto nos deja enfrentados a un dilema. ¿Seguimos comprometidos con la idea de un mundo más allá de las apariencias, y aceptamos que no tenemos ni idea de qué es este mundo, y no acertamos siquiera a imaginar cómo podríamos llegar a conocerlo? ¿O abandonamos la idea y aceptamos que el único mundo que podemos habitar y conocer es el mundo de las apariencias?

VÉASE TAMBIÉN

91. Nadie resulta herido

Scarlett no podía creer su suerte. Desde que alcanzaba a recordar, Brad Depp había sido su ídolo. Ahora, sorprendentemente, se había topado con él durante sus solitarias vacaciones en su casa de las Bahamas, de las que ni siquiera los *paparazzi* tenían noticia.

Lo que es más, cuando Brad vio a la solitaria caminante por la playa, la invitó a tomar algo y, mientras charlaban, resultó ser tan encantador como había imaginado. Luego reconoció que se sentía algo solo esas últimas semanas, y aunque debido a su estilo de vida tendría que mantenerse en secreto, le encantaría que se quedase a pasar la noche con él.

Sólo había un problema: Scarlett estaba casada con un hombre al que quería mucho. Pero lo que desconocemos no puede hacernos daño y él nunca lo sabría. Ella disfrutaría de una noche de fantasía y Brad se consolaría un poco. Todos seguirían igual o se enriquecerían con la experiencia. Nadie sufriría. Con tanto que ganar y nada que perder, ¿por qué razón habría de resistirse Scarlett a los fabulosos ojos de Brad que la invitaban a acostarse con él?

Si alguien confía en nosotros, ¿qué se pierde si traicionamos esa confianza? Scarlett se siente tentada a creer que a veces no se pierde nada. Si su marido sigue ignorando su aventura, su confianza en ella permanecerá intacta. «Nadie resulta herido», piensa, luego ¿por qué no seguir adelante?

Puede sonar frío y calculador, pero esta forma de pensar es frecuente. Las cosas que normalmente juzgaríamos malas pueden antojársenos perfectamente aceptables, siempre que estemos seguros de que nadie saldrá perjudicado. Así, por ejemplo, una persona que jamás atracaría un banco aceptará de buen grado un gran desembolso de un cajero automático que funcione mal, razonando que el banco no echará en falta el dinero y nadie sufrirá las consecuencias.

¿Es ésta realmente la mejor manera de determinar la moralidad de nuestras acciones: calcular las consecuencias en términos de felicidad y sufrimiento, y seguir cualquier curso de acción que aumente la primera y minimice el segundo? El sistema posee el mérito de la simplicidad, pero también parece pasar por alto algunas de las dimensiones más sutiles de nuestra vida moral.

Consideremos la naturaleza de la confianza. Muchos dirían que la confianza mutua es una de las cosas más importantes en sus relaciones personales íntimas. La mayoría de las veces sabríamos de inmediato si esta confianza ha sido traicionada. Si confiamos en alguien para que invierta nuestro dinero de manera juiciosa, por ejemplo, no tardaremos en averiguar si lo ha despilfarrado en algo inútil. Esto es confianza, pero no del tipo más profundo, porque no dependemos sólo de la confianza para garantizar el respeto de nuestros deseos: podemos descubrir si no se han respetado.

En cambio, la confianza más profunda es precisamente la disposición a depositar nuestra fe en alguien, incluso cuando no podemos saber si ha cumplido o no su palabra. Ésta es la clase de confianza que prescinde de la red de seguridad de la franqueza o la revelación. Semejante confianza es esencial para estar seguros de la fidelidad, pues, como todos sabemos, las infidelidades pueden mantenerse a menudo en secreto, a veces para siempre.

Así pues, si Scarlett pasa una noche de pasión con Brad, habrá quebrado la confianza más profunda de todas. El hecho de que su marido no llegue a saberlo nunca es precisamente lo que hace profunda su traición, pues gozar de confianza en tales circunstancias es gozar de la confianza más profunda.

Y, pese a todo, «nadie resulta herido». Puede haberse quebrado la confianza, pero ésta no es de carne y hueso. ¿Cómo es posible que Scarlett no perjudique a nadie, pero haga añicos la parte fundamental de su más preciada relación?

Véase también

92. Autogobierno

Asombra pensar que, en los malos tiempos pasados, a ministros que quizá sabían muy poco de economía se les encomendaba la toma de importantes decisiones sobre asuntos tales como el gasto y los impuestos. Algo se mejoró cuando el poder de fijar los tipos de interés se transfirió a los banqueros centrales. Pero el auténtico avance se produjo cuando la calidad de los ordenadores les permitió dirigir la economía con más eficacia que las personas. El superordenador Greenspan Dos, por ejemplo, controló la economía estadounidense durante veinte años, durante los cuales el crecimiento fue constante y superior a la media a largo plazo; no había ni burbujas de precios ni quiebras y la tasa de desempleo se mantenía baja.

Quizá no sorprenda, pues, que el líder en la carrera hacia la Casa Blanca, según todas las encuestas de opinión (realizadas por ordenador y muy fiables), sea otro ordenador o, al menos, alguien que promete dejar que el ordenador tome todas las decisiones. Como es bien sabido, Bentham será capaz de determinar los efectos de todas las políticas sobre la felicidad general de la población. Sus partidarios afirman que eliminará eficazmente a los humanos de la política. Y, como los ordenadores no tienen flaquezas ni intereses creados, Bentham supondrá un considerable progreso con respecto a los políticos a los que reemplazará. Hasta la fecha, ni demócratas ni republicanos han propuesto ningún contraargumento convincente.

A la mayoría de nosotros, la idea de dejar que los ordenadores dirijan nuestras vidas sigue pareciéndonos espeluznante. Al mismo tiempo, en la práctica depositamos continuamente nuestra confianza en los ordenadores. Nuestras finanzas las controlan casi por completo los ordenadores y hoy en día muchos se fían más de un cajero automático que de un banquero humano a la hora de anotar correctamente sus transacciones. Los ordenadores también controlan los ferrocarriles y, si volamos, podemos no darnos cuenta de que los pilotos se pasan largos ratos sin hacer nada. De hecho, los ordenadores podrían dirigir fácilmente los aterrizajes y los despegues, si bien los pasajeros no aceptan todavía la idea de que lo hagan.

Por tanto, la idea de que los ordenadores podrían controlar la economía no es tan descabellada. Después de todo, la mayoría de los economistas ya se basan mucho en predicciones y modelos informáticos. De actuar sobre la información generada por las máquinas a dejar que sean éstas las que actúen sólo hay un paso.

¿Podría un ordenador sustituir del todo a los políticos? Ésta es la propuesta más radical de la campaña presidencial de Bentham. Si un ordenador pudiera calcular los efectos de la política sobre la felicidad de la población, ¿por qué no podría hacer simplemente lo que más nos agradase?

No es tan fácil prescindir por completo de los humanos. El problema es que al ordenador hay que marcarle los objetivos. Y el objetivo de la política no consiste simplemente en hacer feliz a la mayor cantidad de gente posible. Por ejemplo, debemos decidir cuánta desigualdad estamos dispuestos a tolerar. Una determinada política podría hacer feliz en conjunto a más gente, pero a costa de dejar en condiciones miserables al cinco por ciento de la población. Podríamos preferir una sociedad ligeramente menos feliz donde nadie tenga que padecer una vida miserable.

Un ordenador no puede decidir cuál de estos resultados es preferible; sólo nosotros podemos hacerlo. Más aún, es probable que el resultado que deseemos varíe en función de las circunstancias. Por ejemplo, cuanto más rica deviene una sociedad, más intolerable puede resultar permitir que alguien carezca de lo esencial. Asimismo, cuanto más nos enriquezcamos, más podríamos pensar en nuestra obligación de ayudar a otros países menos prósperos.

Aun cuando el ordenador supiera lo que deseásemos, el debate no acabaría. ¿Debería una sociedad democrática limitarse a respetar la voluntad de la mayoría o deberían tenerse en cuenta también las opiniones de la minoría? ¿Y de qué manera?

Puede llegar el día, tal vez antes de lo que pensamos, en que los ordenadores sean capaces de controlar la economía, e incluso los servicios públicos, mejor que las personas. Pero mucho más difícil es concebir cómo podrían decidir lo que es mejor para nosotros y despedir para siempre a todos los políticos.

VÉASE TAMBIÉN

93. Zombis

Lucía vivía en una ciudad donde las luces estaban encendidas pero nunca había nadie en casa. Vivía entre zombis.

Esto no daba tanto miedo como podría parecer. Estos zombis no eran los espíritus carnívoros de las películas de terror. Su aspecto y su comportamiento eran como los nuestros. Incluso su fisiología era exactamente como la nuestra. Pero existía una diferencia clave: carecían de mente. Si les pinchaban, exclamaban «¡Ay!» y hacían gestos de dolor, pero no sentían dolor. Si les «disgustaban», gritaban o se enfadaban, pero sin ningún trastorno interior. Si se interpretaba para ellos una música sedante, parecían disfrutarla, pero no oían nada en su mente. Por fuera, eran humanos normales, pero, por dentro, no ocurría nada.

No costaba llevarse bien con ellos. Era fácil olvidar que carecían de vida interior, pues hablaban y se comportaban como personas normales, incluidas las referencias a sus sentimientos y pensamientos. Quienes visitaban la ciudad tampoco advertían nada extraño. Incluso cuando Lucía les hacía partícipes del secreto, rehusaban creerla.

«¿Cómo sabes que no tienen mente?», preguntaban. «¿Cómo sabéis vosotros que otras personas la tienen?», solía responder Lucía. Normalmente eso les hacía callar.

«¿Cómo lo sabes?» es con frecuencia una buena pregunta. Por desgracia, también es muy difícil de responder de manera concluyente. Raramente, tal vez nunca, sabemos algo más allá de toda duda. A lo más que podemos aspirar es a disponer de buenas razones para creer lo que creemos. Al menos mejores razones que para creer lo contrario. Por eso no sentimos la necesidad de preocuparnos por la posibilidad de estar viviendo entre zombis. Incluso si es posible que lo estemos, siempre y cuando tengamos más motivos para creer que no lo estamos, podemos evitar sin temor atormentarnos con posibilidades improbables.

Las razones para pensar que los demás no son zombis son principalmente de economía. Si caminan como nosotros, hablan como nosotros y poseen un cerebro y un cuerpo como el nuestro, entonces todo apunta a que sean como nosotros en todos los aspectos relevantes, incluido lo que sienten por dentro. Sería muy extraño que el sistema nervioso que me dota de conciencia no hiciese otro tanto con los demás.

No obstante, éste es precisamente el punto en que cobra interés la posibilidad de los zombis. En efecto, ¿por qué habríamos de pensar que las semejanzas físicas son indicativas de las mentales? El problema de la conciencia radica precisamente en que parece inexplicable que entidades puramente físicas como los cerebros den lugar a experiencias subjetivas. ¿Por qué la activación de una fibra C en el cerebro produce una sensación? ¿Qué tiene que ver ese proceso cerebral con la sensación de dolor?

Si estas preguntas parecen serias y sin respuestas satisfactorias, se seguiría de ellas que no incurrimos en ninguna contradicción lógica si imaginamos procesos cerebrales como la activación de las fibras C sin ninguna sensación concomitante. En otras palabras, la idea de los zombis (personas iguales a nosotros en todo lo físico, pero carentes de toda vida interior) resulta perfectamente coherente. Y, por consiguiente, la posibilidad de que otras personas sean tales zombis, por improbable que resulte, es real.

Como en las películas de terror, el exterminio de los zombis no es tarea fácil. Para descartar la posibilidad de su existencia, necesitamos mostrar por qué un ser con nuestra misma fisiología ha de tener también la misma estructura psicológica. Esto implica, por ejemplo, demostrar por qué la activación de las fibras C debe producir sensación de dolor, en lugar de la visión del color amarillo o nada en absoluto. Se trata de un reto al que, hasta el momento, nadie ha logrado responder de manera satisfactoria para todos los filósofos. Hasta que alguien lo consiga, no podemos tener la certeza de que los zombis no anden vagando por ahí.

VÉASE TAMBIÉN

94. El impuesto Sorites

COMUNICADO DEL MINISTRO DE HACIENDA, LORD SORITES:

Corren tiempos difíciles para nuestro país. El gobierno anterior nos legó unos fondos públicos deficitarios y la necesidad de recaudar ingresos extraordinarios. Pero ustedes, el pueblo, no están dispuestos a pagar. ¿Cómo podemos recaudar entonces el dinero que precisamos sin que ustedes se resientan?

La respuesta es sencilla. Los grupos focales, las encuestas de opinión y los economistas nos han mostrado que un impuesto extra del 0,01% tiene un efecto insignificante en los ingresos de una persona. Nadie que lleve una vida acomodada tendrá que apretarse el cinturón, ningún rico se empobrecerá, nadie que ya lleve una vida ajustada tendrá que esforzarse más, al aumentar en un 0,01% sus impuestos.

Por consiguiente, hoy incrementamos en un 0,01% el impuesto sobre la renta. Y, lógicamente, como esta pequeña cantidad significa tan poco para usted como para la persona que gana el 0,01% menos que usted, podemos repetir mañana la operación, cuando usted se encuentre en la posición de esa persona insignificantemente más pobre. Y así al día siguiente, y al otro, durante los próximos trescientos días.

Cada vez que subamos los impuestos, lo haremos de manera que no repercuta en su calidad de vida. Pero, milagrosamente, el efecto neto de estas medidas será un considerable incremento en los ingresos gubernamentales, que pretendemos emplear para reducir la deuda nacional, y aun confiamos en que nos sobre algo para invitar a una copa a todo el país. Esperamos que aprovechen para brindar por nuestro ingenio.

Fuente: la vieja paradoja Sorites (o «paradoja del montón»), atribuida a Eubúlides de Mileto (siglo IV a.C.).

El político que pronunciase un discurso como éste no debería esperar que le sirviera para ganar votos. Incluso si sus matemáticas no le dan a usted para calcular que en realidad está proponiendo una subida de impuestos superior al 3%, a nadie se le escapa que trescientas pequeñas subidas de impuestos suponen un incremento considerable.

No obstante, la lógica del ministro es difícilmente criticable. Sigue la de la vieja paradoja Sorites. En su formulación original, se nos pregunta si quitar un grano de arena de un montón puede llegar a transformar el montón en un no-montón (una pequeña pila quizá). La respuesta parece ser que no. Pero eso significa que podríamos seguir quitando granos de arena uno a uno, hasta que sólo quedase uno, y seguiríamos teniendo un montón.

Una aparente solución es que, en algún momento, quitar un grano de arena sí que implica que dejamos de tener un montón. Pero eso parece absurdo. De ahí la paradoja: es absurdo que un grano influya algo, pero, si no influye, un solo grano puede ser un montón, lo cual también es absurdo.

Nuestro ejemplo de los impuestos sugiere una salida. ¿No podríamos argüir que cada pequeño incremento sí que influye algo, aunque muy poco? Obviamente, si sumamos varias influencias pequeñas, podemos terminar con una grande.

Sin embargo, por esta vía no llegamos al corazón del problema. La paradoja estriba en que ningún cambio mínimo en los ingresos puede bastar para establecer una diferencia entre alguien que vive acomodado y alguien que vive ajustado. La paradoja radica precisamente en el contraste entre lo que es obvio cuando ampliamos la perspectiva y vemos el efecto acumulativo de los pequeños cambios, y cuando enfocamos de cerca y vemos que cada uno de ellos no provoca efecto alguno.

Al enfrentarse a esta paradoja, la mayoría de la gente está convencida de que se trata de un mero truco lingüístico o de alguna otra prestidigitación. El acertijo debería tomarse más en serio, sin embargo. Muchos aducen que la salida pasa por nuestra aceptación de la vaguedad de muchos conceptos, tales como rico y pobre, alto o bajo, montón o grumo. El problema de esa solución es que, si toleramos demasiada vaguedad en el lenguaje y la lógica, la razón misma se vuelve imprecisa. La alternativa, que los pequeños cambios pueden suponer realmente la diferencia entre ser rico y ser pobre, preserva el rigor de la lógica y el lenguaje, pero aparentemente a costa del realismo.

VÉASE TAMBIÉN

95. El problema del mal

Y el Señor le dijo al filósofo: «Yo soy el Señor, tu Dios, amor infinito, omnipotente y omnisciente».

«Por supuesto que no —replicó el filósofo—. Observo este mundo y veo el horror de la enfermedad, la hambruna o la locura. Pero tú no lo detienes. ¿Es porque no puedes? En cuyo caso, no eres omnipotente. ¿Es porque lo ignoras? En cuyo caso no eres omnisciente. ¿O quizá no lo deseas? En cuyo caso no eres infinito amor.»

«¡Qué insolencia! —respondió el Señor—. Es preferible para vosotros que no detenga todo este mal. Necesitáis crecer moral y espiritualmente. Para ello precisáis la libertad para hacer el mal lo mismo que el bien y para enfrentaros a la aparición del sufrimiento. ¿Cómo podía haber creado un mundo mejor sin privaros de la libertad para crecer?»

«Es fácil —respondió el filósofo—. En primer lugar, podías habernos creado de modo que sintiésemos menos dolor. En segundo lugar, te podrías haber asegurado de dotarnos de más empatía, para impedir que hiciéramos el mal a los demás. En tercer lugar, podías habernos hecho mejores aprendices, para que no tuviéramos que sufrir tanto para crecer. En cuarto lugar, podías haber creado una naturaleza menos cruel. ¿Deseas que continúe?»

Fuente: el problema del mal se plantea reiteradamente de diferentes formas a lo largo de la historia de la teología.

¿Podía haber creado Dios un mundo en el que hubiese menos sufrimiento, pero en el que tuviéramos las mismas oportunidades de ejercer nuestro libre albedrío y, como dicen los religiosos, crecer espiritualmente? Es difícil responder esta pregunta sin ceder a nuestros prejuicios previos. Para los ateos, la respuesta es obviamente afirmativa. El filósofo de nuestra historia hace enseguida cuatro sugerencias.

Ninguna de ellas parece imposible. Si nacemos dotados de una cierta dosis de empatía que nos hace a la mayoría menos dispuestos a hacer daño a los demás, y si esto resulta compatible con nuestro libre albedrío, ¿por qué una mayor empatía habría de suponer una amenaza para la libertad?

Pensemos asimismo que tampoco ejercemos un control directo sobre nuestra capacidad de aprendizaje. De hecho, unos aprendemos mejor que otros. ¿Por qué no podría habernos hecho Dios a todos mejores aprendices, para que pudiéramos entender por qué algo es bueno o malo, sin necesidad de estar expuestos a males terribles? Consideraciones de este tenor llevan a muchos a concluir que Dios podría haber creado con suma facilidad un mundo en el que hubiese menos sufrimiento. El hecho de que no lo hiciera demuestra que o bien no existe o bien no es digno de nuestra veneración.

Pero para quien cree en Dios estos argumentos pueden parecer muy débiles. ¿Quiénes somos nosotros para decir que Dios podría haber hecho un trabajo mejor? Si Dios existe, es infinitamente más inteligente que nosotros. Por consiguiente, si creó un mundo repleto de sufrimiento, debió tener buenos motivos para hacerlo, incluso si estos motivos desbordan nuestro pobre entendimiento.

Como respuesta puede antojarse poco satisfactoria. En efecto, viene a decir que, si se nos presentan motivos racionales para dudar de la existencia de Dios, simplemente tenemos que aceptar que nuestro intelecto es finito y que lo que podría parecer irracional o contradictorio tiene sentido desde la perspectiva divina. Pero esto implica desestimar el papel de la racionalidad en la creencia religiosa. Y no podemos jugar a dos bandas. De nada sirve defender nuestra creencia empleando la razón en una ocasión, si no aceptamos la fuerza de un argumento razonado en contra de la creencia.

Hasta aquí parece conducir al creyente el problema del mal. Las mejores tentativas racionales por resolver el problema son todas ellas, en realidad, versiones del argumento de que, a la larga, debe ser lo mejor. Pero aceptar esto exige una fe que desafía la razón, pues nuestra mejor razón nos dice que esto no es lo mejor que Dios podría haber hecho. Si cabe acusar a los ateos de pretender saber más que Dios, a los creyentes cabe acusarles de pretender saber más que la razón. ¿Qué acusación es más seria?

VÉASE TAMBIÉN

96. La familia, primero

El barco de Sally era uno de los pocos que surcaban habitualmente esas aguas, por lo que siempre procuraba estar atenta a las llamadas de SOS. Por eso, cuando oyó que una explosión había dejado en el océano a una docena de personas sin botes salvavidas, puso rumbo hacia ellas de inmediato.

Pero entonces recibió un segundo mensaje. La barca de pesca de su marido también se estaba hundiendo y necesitaba ayuda. El problema era que, para llegar hasta él, necesitaría ir aún más lejos que hasta los doce náufragos. Y, como el tiempo empeoraba y ninguna otra embarcación respondía a las llamadas de socorro, Sally tenía claro que a quienes intentase rescatar en segundo lugar probablemente los encontraría muertos.

No disponía de mucho tiempo para pensar. Por una parte, no salvar a su marido parecería una traición a su amor y confianza. Por la otra, él era un hombre bueno, por tanto ¿no entendería también que salvase a doce personas en lugar de una sola? Sabía adónde deseaba dirigirse primero, pero no adónde debía hacerlo.

La mayoría de los filósofos morales han defendido que la moral exige respetar por igual a todas las personas. Como dijera Jeremy Bentham, «Cada persona ha de contar por una, y ninguna por más de una». No obstante, esto parece chocar con la poderosa intuición de que tenemos una responsabilidad especial hacia nuestra familia y nuestros amigos íntimos. Por ejemplo, los padres deberían anteponer sin duda el bienestar de sus hijos al de los demás.

No tan rápido. Los padres sí que tienen una responsabilidad especial hacia su prole. Eso significa que se les exige que les garanticen una buena alimentación, por ejemplo, mientras que no están obligados a controlar la nutrición de otros niños. ¿Equivale eso a decir que deberían poner el bienestar de sus hijos *por encima* del de los demás?

Pensemos, por ejemplo, en la competencia por las plazas en una buena escuela. Si hay una sola plaza disponible para dos alumnos potenciales, entonces sus respectivos padres son responsables de defender bien la candidatura de su hijo. Pero, para que el proceso sea justo, cada caso debería considerarse en función de sus méritos y tener en cuenta el bienestar de ambos niños por igual. Si algún padre tratase de violar estos principios básicos de justicia, estaría actuando mal. Habría traspasado la frontera entre la aceptable y loable preocupación paterna por su prole y la falta de respeto por el bienestar ajeno.

El principio básico que parece estar en juego aquí es que hacemos bien en concentrar nuestras energías y atención en la familia y los amigos antes que en los extraños, siempre que al hacerlo dispensemos a todos un trato justo. Como principio, sin embargo, no resulta una guía demasiado útil en la práctica. ¿Es justo prodigar juguetes caros a nuestros hijos mientras otros se mueren de hambre? ¿Es justo que los padres instruidos y con facilidad de palabra disfruten de los mejores servicios públicos en tanto que otros, normalmente más pobres, no se benefician de todos los recursos? ¿Es justo que ayudemos a nuestros hijos con sus deberes, facultándoles para rendir más que los niños cuyos padres no están dispuestos o no son capaces de hacer otro tanto?

Algunas de estas preguntas son más difíciles que otras. Pero, a menos que creamos que sólo debemos pensar en nosotros y en los nuestros, a todos se nos plantearán antes o después dilemas de esta índole. El dilema de Sally es especialmente comprometido, pues hay vidas en peligro inminente. Pero la misma pregunta que debe hacerse nos interpela a todos: ¿está justificado anteponer el bienestar de los nuestros al de los demás?

VÉASE TAMBIÉN

27. Deberes cumplidos
29. Dependencia vital
89. Matar y dejar morir
97. Suerte moral

Mette escrutó la mirada de su marido, que la había abandonado tiempo atrás, pero no halló el menor indicio de remordimiento. «Dices que quieres que volvamos a estar juntos —le dijo—. Pero ¿cómo vamos a hacerlo si ni siquiera admites haber actuado mal cuando nos dejaste a mí y a los niños?»

«Porque mi corazón no me dice que haya obrado mal y no deseo mentirte —explicó Paul—. Me marché porque necesitaba salir en busca de la inspiración. Me fui en nombre del arte. ¿No recuerdas que solíamos hablar de que Gauguin había tenido que hacer lo mismo? Tú siempre decías que había hecho algo duro, pero no malo.»

«Pero tú no eres Gauguin —dijo Mette—. Por eso has vuelto. Reconoces tu fracaso.»

«¿Sabía Gauguin que triunfaría cuando dejó a su esposa? Nadie puede saber tal cosa. Si él hizo bien, también yo.»

«No —dijo Mette—. Su apuesta mereció la pena, luego resulta que hizo bien. La tuya no, luego resulta que obraste mal.»

«¿Su *apuesta*? —replicó Paul—. ¿Estás diciendo que la diferencia entre lo bueno y lo malo puede ser cuestión de suerte?»

Mette reflexionó unos instantes y dijo: «Supongo que sí».

Fuente: el ensayo *Moral Luck*, de Bernard Williams (Cambridge University Press, 1981).

La suerte puede marcar la diferencia entre el éxito y el fracaso, la felicidad y el sufrimiento, la riqueza y la pobreza, pero sin duda no puede separar al virtuoso del malvado. Nuestra bondad y decencia como seres humanos debe depender de quiénes somos y de lo que hacemos, no de lo que sucede fuera de nuestro control.

Esto es lo que sugeriría el sentido común. Pero, aun cuando la suerte no sea el principal determinante de la bondad moral, ¿podemos estar realmente tan seguros de que no desempeña papel alguno en la ética?

De suma importancia es lo que se conoce como suerte constitutiva. Nacemos con ciertos rasgos y características cuyo desarrollo depende de nuestra educación. No obstante, nada de esto lo elegimos nosotros. El resultado es que, cuando alcanzamos la edad suficiente para tomar nuestras propias decisiones, puede que ya estemos más o menos predispuestos hacia el bien o el mal que nuestros semejantes. La persona que a esa edad es propensa a montar en cólera tiene más probabilidades de obrar mal, sencillamente por haberle correspondido un billete desafortunado en la lotería de la genética y de la educación.

Incluso si dejamos a un lado la suerte constitutiva, nos resulta familiar el sentimiento de que «gracias a Dios no me he visto en esa situación». Probablemente todos somos capaces de obrar peor de como lo hacemos, y en parte es cuestión de suerte que logremos evitar hallarnos en las circunstancias en las que se despierta nuestro lado más oscuro.

En el caso de Paul y Mette, el papel de la suerte es aún más pronunciado. El argumento de Mette es que dos personas pueden comportarse exactamente igual sin estar seguras del resultado, y que sólo cuando sabemos si dicho resultado es bueno o malo podemos decir si la persona hizo bien o mal. Así, un Gauguin que deja su familia y se convierte en un gran artista ha tomado la decisión moralmente correcta, mientras que Paul, que tomó la misma decisión pero sin éxito, ha de ser condenado por obrar mal.

Si el ejemplo se nos antoja extravagante, pensemos simplemente que todos cometemos descuidos de vez en cuando. Si esos descuidos provocan graves daños, por ejemplo, la persona que comete el desliz se considera moralmente culpable. Si, por suerte, nuestra falta de atención no tiene malas consecuencias, pocos nos lo reprocharán demasiado. ¿Sugiere esto que existe la suerte moral? ¿O deberíamos condenar más a aquellos cuyos desaciertos por fortuna no provocan efectos negativos? ¿Deberíamos decir que Gauguin actuó mal, aunque pensemos que, bien mirado, hizo mejor actuando así que quedándose con su familia?

Véase también

98. La máquina de la experiencia

Robert llevaba dos horas sentado delante del formulario de consentimiento, y aún no sabía si firmarlo o romperlo. Debía elegir entre dos futuros.

En uno, las perspectivas eran sombrías y las posibilidades de realizar sus sueños escasas. En el otro, sería una famosa estrella de rock con la garantía de la felicidad permanente. Cabría pensar que la decisión estaba clara. Pero, mientras que la primera vida sería en el mundo real, la segunda sería íntegramente en la máquina de la experiencia.

Este dispositivo permite pasarse la vida entera en un entorno de realidad virtual. Todas las experiencias se diseñan para que uno viva feliz y más satisfecho. Pero un aspecto crucial es que, una vez en la máquina, uno ignora por completo que no está en el mundo real y que lo que le está ocurriendo se ha diseñado para satisfacer sus necesidades. Cree vivir una vida real en el mundo real, sólo que en esa vida es uno de los ganadores a quien todo parece irle bien.

Robert sabe que, una vez en la máquina, la vida será estupenda. Aun así, hay algo en esa ficción que le hace dudar a la hora de firmar el formulario que le llevará a ese paraíso.

Fuente: capítulo 3 de *Anarchy, State, and Utopia*, de Robert Nozick (Basic Books, 1974) (trad. cast.: *Anarquía, Estado y utopía*, México, FCE, 1988).

Es fácil ver por qué vacila Robert. La vida en la máquina sería simulada, inauténtica, irreal. Pero ¿por qué habría de ser preferible una auténtica vida «real», con sus inexorables altibajos, a una feliz vida simulada?

Un representante de la máquina de la felicidad podría ofrecer poderosos argumentos en contra. Consideremos de entrada lo que significan los términos «autenticidad» y «real». Una persona auténtica es aquella que es como realmente es, no como finge ser. Pero Robert seguirá siendo Robert en la máquina. Puede revelar su personalidad genuina tan fácilmente dentro como fuera de ella.

Cabría decir entonces que en el mundo real uno llega a ser una estrella de rock por méritos propios, mientras que en la máquina no se recompensarían sus esfuerzos. A esto cabría replicar: ¿han oído ustedes a la mayoría de las estrellas de rock? El talento pinta poco aquí; la suerte y la oportunidad lo son todo. La fama de Robert en la máquina no será menos merecida que la fama de los innumerables aficionados que logran trepar por la cucaña del pop. De hecho, ésa es la gran enseñanza de la máquina de la experiencia. El éxito en la vida depende mucho de la suerte. ¿Naciste en el sitio adecuado, en el momento oportuno, de los padres apropiados? ¿Estás dotado de las capacidades que valora y recompensa tu sociedad? ¿Tuviste acceso a las personas y lugares que podían ayudarte a salir adelante? Resulta absurdo decir que era preferible que te arrojases a los brazos de doña Fortuna cuando podías elegir ser feliz.

En cuanto a la idea de que estarías abandonando el mundo real, cabría decir: sé realista. El mundo en el que ahora vives no es más que la suma de tus experiencias: lo que ves, oyes, sientes, gustas, tocas y hueles. Si piensas que es más real por estar causado por procesos subatómicos en lugar de chips de silicona, quizá necesitas reconsiderar tu noción de realidad. Después de todo, incluso nuestra concepción del mundo de la ciencia *más allá de* las experiencias se basa en última instancia en observaciones y experimentos completamente *dentro* del mundo de la experiencia. Luego, en cierto sentido, la realidad no es sino apariencias.

Y, pese a todo, podríamos seguir sin querer entrar en la máquina, dispuestos como estamos a que nuestro futuro sea, en la medida de lo posible, producto de nuestra voluntad y nuestro esfuerzo. Si seguimos negándonos a entrar en la máquina, al menos una cosa ha de ser cierta: cuando consideramos lo que más nos interesa, nos preocupa algo más que la mera felicidad. De lo contrario, entraríamos de cabeza en la máquina.

VÉASE TAMBIÉN

99. ¿Una oportunidad para la paz?

Hitler había enviado a su emisario en riguroso secreto. Si los británicos intentaban revelar públicamente alguna vez la naturaleza de su misión, Berlín negaría todo conocimiento del viaje y le acusaría de traición. Pero seguramente no sería preciso. Nadie se imaginaba que Churchill pudiera rechazar el trato que iba a proponerle.

Hitler sabía que Churchill quería evitar las bajas innecesarias. A ambos líderes les constaba que un conflicto entre las dos naciones costaría muchos millares de vidas. Pero la guerra podía evitarse. Hitler ofrecía garantías de que, una vez consumada la Solución Final, no se lanzarían ulteriores ofensivas y sólo se mataría a los insurgentes en los países ocupados. Eso implicaría ciertamente que se perderían menos vidas que si Gran Bretaña intentara liberar Francia y derrocar el régimen nazi en Alemania.

El Führer estaba seguro de que la propuesta le resultaría atractiva al líder del país que había inventado el utilitarismo. Después de todo, ¿quién preferiría un curso de acción que conduciría a más muertes a otro que causaría menos?

Aunque de hecho nunca se emprendió una misión semejante durante la Segunda Guerra Mundial, Hitler sí que pensó en diversos momentos que Gran Bretaña aceptaría un tratado de paz que le permitiría conservar los territorios conquistados. Puede que una de las razones fuera precisamente la idea de que, como la guerra costaría más vidas humanas, la paz parecería la mejor opción, tanto en términos pragmáticos como morales.

Muchos se estremecerían ante la mera idea de semejante pacto, especialmente aquellos que perdieron a familiares en los campos de concentración. La propuesta parece comprar la paz con las vidas de las víctimas inocentes del Holocausto.

Si comparte usted esta opinión, piense detenidamente en el juicio que le merece la moralidad de otras guerras. El debate sobre la ética de la intervención militar se plantea en buena medida en términos del coste humano de la acción o la inacción. Por ejemplo, los antibelicistas se apresuran a señalar que, en el primer año tras la invasión de Irak en marzo de 2003, habían sido asesinados alrededor de 10.000 civiles. No obstante, se cree que Sadam Husein asesinó a 600.000 civiles mientras estuvo en el poder. A esto responden otros que la responsabilidad por la muerte de medio millón de niños iraquíes es imputable a las sanciones de la ONU, no al régimen de Sadam. Y crece el bombardeo cruzado de cifras para intentar justificar o condenar la intervención bélica.

Todo esto parece presuponer que si una guerra cuesta más vidas de las que salva, es moralmente mala. Pero, siguiendo esta lógica, es fácil imaginar un escenario, como la oferta secreta de un pacto por parte de Hitler, que habría hecho preferible para los aliados haber dejado Europa en manos del fascismo.

Una razón por la que muchos piensan que esto es inaceptable es que los campos de concentración son un mal que parece exigir una respuesta. Puede que poner fin al genocidio costase más vidas de las que salvase, pero resulta intolerable no poner coto a tamaña perversidad. Nuestra humanidad es más valiosa que nuestras vidas humanas individuales.

Incluso al margen del Holocausto, sigue habiendo razones para preferir la liberación sangrienta a la tolerancia incruenta. Las personas eligen arriesgar su vida por sus ideales porque creen que ciertos valores son más importantes que la mera supervivencia. De ahí el dicho de que es preferible morir como un hombre libre a vivir como un esclavo. Por eso, al menos durante la primera guerra del Golfo, muchos iraquíes se regocijaban incluso entre los bombardeos. La moralidad de la guerra es una cuestión espinosa, que no puede resolverse con un simple balance de vidas perdidas y vidas salvadas.

Véase también

100. El Nest Café

Eric era un cliente asiduo del Nest Café. La comida y la bebida no eran nada del otro mundo, pero eran insólitamente baratas.

Un día le preguntó a la gerente cómo lo hacía. Ella se inclinó para susurrarle en tono conspiratorio. «Es fácil. Verá usted, todos mis empleados son africanos. Necesitan sobrevivir pero no pueden conseguir empleos normales. Así que les dejo dormir en el sótano, les doy de comer lo justo y les pago cinco libras semanales. Es magnífico: trabajan todo el día, seis días por semana. Con sueldos tan bajos puedo ofrecer precios bajos con grandes beneficios.

»No se escandalice —añadió al ver la reacción de Eric—. A todos nos conviene. Ellos eligen este trabajo porque les ayuda, yo gano dinero y ustedes consiguen una ganga. ¿Otro café?»

Eric aceptó. Pero éste sería quizá su último café en ese local. Pese a las justificaciones de la gerente, se sentía, como cliente, cómplice de la explotación. No obstante, mientras sorbía su café americano, se preguntaba si el personal comprendería su boicot. ¿Acaso esos empleos y el refugio del sótano no eran mejor que nada?

No es preciso ser un anticapitalista militante para reconocer que todos los que vivimos en un país desarrollado estamos esencialmente en la misma situación que Eric. Importamos productos comparativamente baratos porque quienes los producen cobran una miseria. Y si lo sabemos pero seguimos comprando, estamos contribuyendo a mantener la situación.

No nos dejemos engañar por las diferencias superficiales. Eric está más cerca de la mano de obra barata que nosotros, pero la proximidad geográfica no es éticamente relevante en este caso. No dejamos de explotar a alguien simplemente poniendo kilómetros de por medio. El problema no es tampoco la ilegalidad del personal del café. Basta imaginar un país donde se permita este tipo de políticas de empleo.

Cabría decir que los salarios justos dependen de lo que sea normal en cada lugar. Así, un «salario de esclavo» en un país como Gran Bretaña podría ser muy generoso en Tanzania. Eso es cierto, pero no zanja el debate. La cuestión crucial es que el Nest Café se aprovecha de la necesidad de sus trabajadores para pagarles lo menos posible. La injusticia primordial no reside en el salario comparativo, sino en la indiferencia mercenaria hacia el bienestar de los trabajadores. Análogamente, puede que los cultivadores de café en los países en vías de desarrollo no vivan en peores condiciones que muchos de sus compatriotas, pero eso no significa que a sus pagadores occidentales no deba importarnos que trabajen tan duro por tan poco, cuando podemos permitirnos pagarles más.

Tampoco resulta demasiado convincente la defensa de que «es mejor que nada». La alternativa no es nada, sino un sueldo más alto o mejores condiciones. El boicot puede dejar sin empleo al trabajador explotado, pero, a la inversa, la competencia de negocios como el Nest Café implica la pérdida de empleos de otros trabajadores debidamente remunerados.

Por consiguiente, parece que, en todos los sentidos moralmente relevantes, nos encontramos en efecto en la misma posición que Eric. Si hace mal contribuyendo al negocio del Nest Café, nosotros hacemos mal comprando a empresas que tratan del mismo modo a las personas que ocupan el extremo de su cadena de proveedores.

La conclusión es inquietante, pues nos convierte a casi todos en cómplices de la explotación. Esto puede antojarse tan escandaloso que podría considerarse una prueba del extravío en la argumentación. Pero se trataría de una reacción autocomplaciente. Históricamente ha habido muchas injusticias sistemáticas, implícitamente respaldadas por sectores enteros de la sociedad. Pensemos en la actuación de la mayoría de los blancos de Sudáfrica durante el *apartheid*, de las clases medias y altas en tiempos de la esclavitud, de los hombres antes de que a las mujeres se les reconociese la igualdad de derechos. Es posible que casi todos nosotros actuemos mal de forma sistemática. Si Eric debería reconsiderar dónde toma café, también nosotros deberíamos hacerlo, como otras tantas cosas.

VÉASE TAMBIÉN

Índice analítico y de nombres